PROFIL Collection
par Georg
D'UNE ŒUV

LA NAUSÉE

SARTRE

Analyse critique

par Geneviève IDT

agrégée des lettres
assistante à l'Université de Paris X

HATIER

8, RUE D'ASSAS - PARIS 6e

ISBN 2 - 218 - 01421 - 1

Sommaire

« Le manuscrit de son livre intitulé *Melancholia*, à cause de la gravure de Dürer qu'il aimait beaucoup, avait été remis par Nizan à un lecteur de la maison Gallimard... Gallimard avait lu le livre, et il semblait l'aimer. Il ne lui reprochait que son titre. Il en suggéra un autre : *La nausée* » (SIMONE DE BEAUVOIR, *La force de l'âge*, Gallimard, pp. 292 et 308).

Note : Toutes les références renvoient à la collection Folio, parue chez Gallimard.

Introduction

A propos de Sartre, un critique écrivait en 1946 : « Je connais des gens qui s'étranglent quand on prononce son nom... Ils l'ont condamné sans appel pour la grossièreté gratuite de son vocabulaire et le climat débilitant de ses récits. *La nausée* leur est apparue comme la transcription de la vie mentale d'un personnage ignoble et tranquillement anormal. Ils ont été - comment ne pas les excuser ? - écœurés par ce mélange de prétentions philosophiques, de rêves équivoques, de technicités physiologiques, de goûts morbides et d'érotisme velléitaire qui fait d'Antoine Roquentin une larve introspective qu'on aurait un net plaisir à écraser [1]. »

Avant d'écraser Roquentin, demandons-nous si la grossièreté de son vocabulaire est gratuite et s'il n'est pas à la hauteur de ses prétentions philosophiques ; car sous l'apparence d'une histoire de fou, dans une langue à la fois populaire et savante destinée à bouleverser les concepts que véhicule d'ordinaire le langage philosophique, *La nausée* a fait « descendre la métaphysique dans les cafés [2] ». Si le texte prend une forme familière, ce n'est pas par souci de vulgarisation. C'est que la découverte qu'il présente implique une nouvelle manière de penser et de vivre : « Il peut arriver que la philosophie, renonçant à se tirer d'affaire par des systèmes, renvoyant les concepts préalables et les constructions implicites, se retourne vers les choses, vers le monde et les hommes et cherche à les ressaisir dans leur sens non obscurci. Cette philosophie décrit ce qui apparaît... elle s'intéresse à des situations réelles, elle s'y enfonce pour se trouver au niveau de profondeur où se joue le drame de l'existence [3]. » A une philosophie qui met l'accent sur l'exis-

---

1. RAYMOND LAS VERGNAS, *L'affaire Sartre*, Haumont, 1946, p. 23.
2. *Arts* : 28-X-1964.
3. MAURICE BLANCHOT, *La part du feu*, Gallimard, 1949, p. 198.

tence, il fallait donc une expression qui eût parfois le laisser-aller quotidien. Quant à l'affirmation tranquille de goûts morbides, elle exprime peut-être « ce petit sublime, sans éloquence, ni illusions [1] », qui permet de dominer une angoisse.

Que certains lecteurs, pourtant, malgré ou à cause du succès que *La nausée*, premier grand roman existentialiste, a remporté en France comme à l'étranger, désirent encore « écraser » Roquentin, il ne faut pas s'en étonner : le texte provoque. S'il « romanticise Heidegger », il « métaphysique Céline [2] ». Sans doute l'auteur a-t-il voulu réaliser l'ambition qu'exprimait Valéry en 1894 : rendre au *Discours de la méthode* son allure autobiographique, « écrire la vie d'une théorie comme on écrit celle d'une passion ». Mais ce trop bon élève qui refuse sa culture sans pouvoir s'en dégager n'y parvient que sur le mode parodique : « Le *Cogito* sartrien apparaît... comme une sorte de caricature tragique du *Cogito* de Descartes. Sartre s'en rend d'ailleurs bien compte, et c'est délibérément qu'il a conçu son roman comme une parodie du *Discours de la méthode* [3]. »

Mais il n'est pas sûr qu'on puisse toujours se contenter de la parodie, et l'auteur lui-même a désavoué son œuvre : « Je confondis les choses avec leurs noms : c'est croire. J'avais la berlue. Tant qu'elle dura, je me tins pour tiré d'affaire. Je réussis à trente ans ce beau coup : décrire dans *La nausée* - bien sincèrement, on peut me croire - l'existence injustifiée, saumâtre de mes congénères et mettre la mienne hors de cause... Traqué jusqu'à l'os et mystifié, j'écrivais joyeusement sur notre malheureuse condition [4]. » Il est possible que *La nausée*, dans son allure de joyeuse farce, paraisse encore trop optimiste et que ce texte destructeur de diverses formes de mauvaise foi n'aille pas encore assez loin.

1. MAURICE MERLEAU-PONTY, *Sens et non-sens*, Nagel, 1948, p. 87.
2. JEAN WAHL, *Poésie, pensée, perception*, Calmann-Lévy, 1948, p. 7.
3. GEORGES POULET, *Le point de départ*, Plon, 1964, p. 226.
4. SARTRE, *Les mots*, Gallimard, 1964, pp. 209-210.

1 Situation de *La nausée*

« Tous les ouvrages de l'esprit contiennent en eux-mêmes l'image du lecteur auquel ils sont destinés », écrit Sartre en 1948 [1]. L'écrivain ne s'adresse pas à un « lecteur universel », à l'Homme de tous les temps et de tous les pays, « il parle à ses contemporains, à ses compatriotes, à ses frères de race ou de classe. On n'a pas assez remarqué, en effet, qu'un ouvrage de l'esprit est naturellement *allusif* [2] ». Des signes de complicité entre l'auteur et son public, des allusions à un contexte social et historique commun permettent de graver en creux l'image que le texte donne de son lecteur, ou de ses lecteurs, car un même texte peut être rédigé selon plusieurs codes à la fois, et s'adresser à des lecteurs différents dont chacun ne perçoit qu'une partie du message.

Selon Sartre, il se peut, par exemple, que le public d'une œuvre soit « déchiré », que l'écrivain soit écartelé « entre des lecteurs réels, mais détestables et des lecteurs virtuels, souhaitables mais hors d'atteinte [3] ». Ainsi, depuis 1848, l'instruction obligatoire prépare à l'écrivain un public virtuel ; mais l'écrivain, qui recule devant un « déclassement par le bas », continue à écrire pour un public bourgeois qu'il méprise et qu'il cherche à scandaliser : il renvoie au lecteur une image satirique, dans le secret espoir, peut-être, de lui ouvrir les yeux. « Seulement, pour qu'un écrivain conçoive seulement l'idée de tracer un portrait-contestation de son lecteur réel, il faut qu'il ait pris conscience d'une contradic-

---

1. SARTRE, *Qu'est-ce que la littérature?* Gallimard, Idées, p. 92.
2. *Ibid.*, p. 88.
3. *Ibid.*, p. 115.

tion entre lui-même et son public, c'est-à-dire qu'il vienne *du dehors* à ses lecteurs et qu'il les considère avec étonnement ou qu'il sente peser sur la petite société qu'il forme avec eux le regard étonné des consciences étrangères (minorités ethniques, classes opprimées, etc. [1]) ».

C'est ce qui se passe dans *La nausée* : chaque fois que le texte est allusif, qu'il signale ou sous-entend un fait, un usage, un nom qui implique toute une culture, c'est un signe de connivence adressé au lecteur, dont on peut ainsi définir l'univers mental. Il suffit alors de montrer quels sont les lecteurs contestés, et quels sont les lecteurs complices, pour situer *La nausée* dans son contexte culturel.

DE L'IMAGE AU « PORTRAIT-CONTESTATION » DES LECTEURS DANS « LA NAUSÉE »

Issu de la petite bourgeoisie, le grand-père Schweitzer était professeur d'allemand, l'arrière-grand-père instituteur, Sartre, à l'époque où il écrit *La nausée*, déchire « à belles dents la bourgeoisie » sans pouvoir en sortir : « Chez Sartre et moi, écrit S. de Beauvoir, cette hostilité demeurait individualiste, donc bourgeoise; elle ne différait guère de celle que Flaubert vouait aux *épiciers* et Barrès aux *Barbares* [2]. » Elle ressemble plus à une provocation qu'à une contestation raisonnée.

Les Normands des années 30 : les « Bouvillois ».

Presque toute l'action de *La nausée* se situe à « Bouville ». Un Havrais, même s'il ignore que Sartre a passé ses premières années d'enseignement au Havre, même si les Rouennais peuvent revendiquer le Musée et les Lexoviens Sainte-Cécile, reconnaît dans Bouville une image de sa ville, à des indices menus, mais infaillibles comme des mots de passe.

Roquentin, en effet, renvoie aux Havrais l'image mythique qu'ils se font de leur ville, et que présentent les peintres et les poètes locaux. Tantôt il peint le climat et les paysages d'un grand port de mer venteux et pluvieux dans

1. *Qu'est-ce que la littérature?* p. 116.
2. *La force de l'âge*, p. 36.

le style expressionniste de *Quai des brumes*, tourné au Havre peu après la rédaction de *La nausée*. De brefs tableaux rattachent la peinture de Bouville à toute une littérature « d'atmosphère » qui poétise l'obscurité, le brouillard, la désolation : ce sont l'évocation du Boulevard Victor Noir (pp. 42-43), celle d'une journée de brouillard (p. 104), celle de l'humidité « blanche et grasse » qui pourrit la ville (pp. 217-218). D'autres, au contraire, présentent dans le style de Boudin [1] un coucher de soleil à marée basse, avec des « flaques de lumière au loin », des couleurs qui s'assombrissent lentement, un rayon de soleil qui incendie « au passage la fenêtre d'un chalet normand », la lueur du phare Caillebotte, qui porte précisément le nom d'un peintre impressionniste (pp. 78 à 81). Ces images de Bouville sont moins réalistes que culturelles et stylisées : elles servent à situer Bouville parmi les lieux communs de l'art depuis l'Impressionisme : le grand port brumeux, les paysages mouillés et crayeux des côtes normandes.

Les brochures touristiques du temps donnent du Havre une image que la topographie et l'histoire de Bouville respectent avec exactitude : au centre de la ville, la gare, les quartiers commerçants; dans l'Est noir, les grands bassins, les usines. Au sommet de la hauteur qui borde la ville, « les vieilles familles de négociants et d'armateurs » dont les portraits figuraient au musée, et le belvédère d'où l'on voit toute la ville; dans la basse ville, « les nouveaux messieurs du boulevard Maritime », les nouveaux riches, en rivalité avec les anciens. Il est facile de repérer sur un plan du Havre la situation des principales rues de Bouville : le Boulevard Victor Noir est le Cours de la République, la rue Tournebride la rue de Paris; de même les grands hommes de Bouville, Impétraz ou Blévigne, évoquent Casimir Delavigne ou Augustin Normand. Si Sainte-Cécile-de-la-Mer, l'église la plus chère du monde, qui fait concurrence au Sacré-Cœur de Montmartre [2], est un signe de connivence aux habitants

---

1. Boudin : peintre paysagiste du Havre et de la région, qui participe aux premières recherches des Impressionnistes. Moins coloriste qu'eux, il est sensible, avant eux, aux variations lumineuses de l'atmosphère et de l'eau.
2. Plus de trente ans après, en février 1971, Sartre éprouve la même horreur pour cette basilique, construite en son temps « sur le sang des Communards », dont il évoque également le souvenir dans *La nausée* en la personne de l'insurgé qui sculpta une représentation de l'attentat d'Orsini (cf. *La nausée*, pp. 153-154).

de Lisieux, qui construisaient justement leur basilique depuis 1929, le port de Bouville est bien celui du Havre tel qu'on le décrit dans les livrets-guides du touriste : « le mieux outillé pour le déchargement des charbons et des bois » (p. 121).

Pour le cas où une telle fidélité au modèle ne serait pas assez explicite, de menus détails vrais jalonnent le texte de signes de reconnaissance : la drague qui hurle chaque soir jusqu'à minuit, la coexistence, en 1938, de la nouvelle et de l'ancienne gare, le tramway Abattoirs-Grands Bassins, les noms des cafés, - le café des Bretons, le Bar de la Marine -, des sociétés commerciales, - la Compagnie Générale Trans-atlantique, l'administration du Port Autonome. Les noms mêmes sont, sinon respectés, du moins à peine transposés : la rue des Galions devient « la rue des Voiliers »; le Nice Havrais, « le petit Prado »; Montivilliers, « Monistiers »; « La Côte », « le Coteau vert » par contamination avec « la Cavée verte ». Cette transformation des noms montre bien quel rôle jouent dans *La nausée* de tels détails : il ne s'agit pas, comme dans un roman de Balzac, de donner d'un lieu réel une description avouée, exacte et vérifiable. Il n'est pas question non plus de présenter, comme dans *Germinal*, le portrait-type, synthétique et idéal, d'un ensemble de localités. Sans doute, pour un lecteur non averti, ces détails ont-ils pour fonction de donner de la vraisemblance, comme les fameux « petits faits vrais » dont parlait Stendhal. Mais en réalité, la transposition de la rue des Galions en « rue des Voiliers » prouve qu'il n'en est rien : « galion », plus original que « voilier », aurait mieux connoté le réel, le provincialisme, le pittoresque. Si la transposition était nécessaire, c'est qu'il fallait faire semblant de la camoufler, tout en laissant toute sa clarté à l'allusion, exactement comme l'acteur masqué, qui désigne son masque du doigt, ou comme le chansonnier, qui cache ostensiblement ses allusions, pour laisser au lec-teur le plaisir de croire à une découverte. De tels détails donnent un tout autre sens à ce qui pourrait apparaître comme une peinture typique des mœurs provinciales : la promenade du dimanche matin, le déjeuner à la brasserie Vézelize, la bibliothèque. Leur exactitude est au contraire celle des romans à clés : à l'époque, l'un des bibliothécaires du Havre était effectivement un Corse. Peu importe qu'une telle peinture de Bouville ressemble effectivement à une ville réelle. Ce qui importe, c'est que cette peinture signale nettement à une catégorie de lecteurs sa ressemblance, et que les Normands ne puissent s'y tromper. Car, dans un texte satirique, deux procédés sont possibles : ou bien le narrateur s'amuse avec le lecteur d'un tiers qui l'ignore, ou bien il se gausse de son lecteur même, en le lui montrant, en s'adressant à lui sans ambiguïté, et la satire devient alors provocation et scandale.

Les bourgeois : « Salauds », « chefs » et « soldats ».

Sartre affirme dans *Qu'est-ce que la littérature ?* que les écrivains, depuis le XIXe siècle presque tous issus de la bourgeoisie, s'adressent à un public réel de bourgeois, en pensant à un public virtuel. Les images des lecteurs dans *La nausée* confirment cette idée : la représentation de la société y est incomplète. Le mot « ouvrier » n'apparaît qu'une fois ; de la vie ouvrière n'est évoqué que ce qui concerne les bourgeois : les grèves qu'il faut mater, les ouvroirs, les crèches et les écoles professionnelles qu'il faut ouvrir pour s'assurer un travail rentable. Les seuls conflits sociaux opposent les anciens armateurs aux nouveaux riches (p. 69), ou les grands aux petits bourgeois. Le texte semble s'adresser aux privilégiés, c'est leur point de vue qui est représenté, les autres classes n'apparaissent qu'en creux.

Les deux séries d'oppositions sur lesquelles repose *La nausée* n'ont rien de commun avec la lutte des classes. L'une d'elles, sensible dans la visite de Roquentin au Musée, oppose les « chefs » aux « soldats ». Les « chefs » semblent évoquer les conservateurs de la troisième République qui, de la Commune à 1914, craignent ce qui menace leurs pouvoirs, la révolte des jeunes, les socialistes, les grèves ouvrières. Aussi affirment-ils « le droit de l'élite bourgeoise à commander » (p. 126), « car un droit n'est jamais que l'autre aspect d'un devoir » (p. 123). Ils ont l'idéologie des nationalistes antidreyfusards (p. 120), et la morale des lecteurs d'Henry Bordeaux : en faisant l'apologie du travail, ils renoncent à toute curiosité intellectuelle pour mieux s'enrichir (p. 123). Par souci de la famille, ils réservent aux femmes le dévouement et l'abnégation stoïque (p. 128, p. 135). Par patriotisme, ils envoient leurs enfants se faire tuer (p. 121). Mais, bien entendu, ce n'est pas aux « chefs », morts depuis longtemps, que s'adresse *La nausée*, mais bien aux « soldats », les petits bourgeois qui visitent respectueusement le Musée de Bouville, prêts à accepter l'idéologie d'une autre classe et d'un autre temps : tout se passe comme si l'auteur craignait la résurgence du conservatisme nationaliste, au moment où s'agitent les extrémistes de droite, un peu avant que l'État français du Maréchal Pétain ne prenne justement pour devise « Travail, Famille, Patrie ».

La deuxième série d'oppositions, entre les « Salauds » et les individus « sans importance sociale », précise encore l'image de certains lecteurs. Les « Salauds », ce ne sont pas seulement les grands bourgeois du Musée, c'est aussi le vieux monsieur du restaurant Bottanet : ce sont tous ceux qui justifient leur existence en se donnant une tâche quelconque, en s'intégrant à un groupe social. Aux « Salauds » s'opposent les solitaires, ceux que ne justifient ni le travail, ni la famille, dont certains résistent, comme Anny et Roquentin, dont les autres trahissent : M. Achille, l'Autodidacte. Malgré tout ce qu'une telle attitude peut avoir d'anarchisme célinien, elle implique moins une métaphysique qu'elle ne désigne une situation sociale : celle des déclassés, à laquelle appartiennent aussi, dans *La nausée*, la Négresse qui chante et le Juif qui a composé sa chanson. Ces solitaires jouent le rôle de ces « consciences étrangères » qui, selon Sartre, permettent de porter sur la société un regard étonné. C'est bien la fonction que, contrairement à d'autres théoriciens selon lesquels chaque classe sécrète ses propres intellectuels, Sartre attribue par ailleurs aux intellectuels : en marge de toute classe, le clerc a pour fonction de critiquer la société.

Il semble donc que *La nausée* s'adresse aux petits bourgeois sur le point d'accepter l'idéologie des « chefs », et aux intellectuels qui seraient tentés de trahir et de se faire des « chiens de garde [1] ». L'image satirique des conservateurs qu'il leur présente est le miroir de leurs tentations.

---

1. Titre d'un ouvrage de Paul Nizan.

La génération de la « décompression » : rêves surréalistes et humanisme de l'Autodidacte.

Dans *Qu'est-ce que la littérature?*, Sartre, décrivant la « Situation de l'écrivain en 1947 », distingue, dans la littérature contemporaine, trois générations. Or la seconde, celle qui vient à l'âge d'homme en 1918, semble être l'objet de nombreuses allusions dans *La nausée*. Deux types d'écrivains s'y côtoient : les « enfants prodigues », surréalistes ou écrivains - voyageurs à la Paul Morand, et les « humanistes discrets ».

• *Thèmes et procédés surréalistes*

Certains passages, dans *La nausée*, semblent justifiés par leur seule référence au surréalisme dont Sartre a montré par ailleurs les limites [1] : lorsque Roquentin rêve de mille-pattes, de teignes et de bêtes en pain grillé (pp. 88-89), ou d'une langue qui se transforme en insecte (p. 222), on pense au rêve de Breton dans *Nadja*, et lorsqu'il déculotte Maurice Barrès pour le fesser, on évoque le procès fictif de Barrès que Breton et ses amis organisèrent en 1921. Le geste de Roquentin enfonçant un canif dans sa paume paraît une allusion à l'acte gratuit que prônent, après Gide, les surréalistes [2]. Enfin, lorsque Roquentin, du haut du Coteau vert, imagine l'avenir de Bouville, le quartier de viande qui se traîne en rampant dans le ruisseau (p. 222) ressemble à ce que Sartre, dans son article sur *Aminabad*, appelle « les monstres en viande » de Dali (p. 127), ainsi que « l'orteil-béquille », « l'araignée-mâchoire » et les « fleurs de chair » à ses « fantaisies physiologiques » et à sa « biologie maudite ».

• *L'exotisme des écrivains-voyageurs*

De même, tous les passages qui évoquent les voyages de Roquentin s'expliquent mieux si on les rapproche de ce que dit Sartre des écrivains-voyageurs dans *Situation de l'écrivain en 1947* : Roquentin dénonce la vanité de l'exotisme tout comme Paul Morand ou Drieu La Rochelle dont les livres, pourtant « remplis de clinquant, de verroterie, de beaux

---

1. *Qu'est-ce que la littérature?* pp. 360-370.
2. Voir André Breton, *Second manifeste du surréalisme*, Gallimard.

noms étrangers (...) sonnent le glas de l'exotisme » en révélant un monde « partout semblable et monotone » (p. 236). Peut-être faudrait-il voir aussi, dans les voyages de Roquentin en Indochine, une allusion à Malraux. Si Roquentin critique avec tant d'insistance le sentiment de l'aventure, c'est que toute une génération y a vu une règle de vie et que Sartre lui-même, tenté par l'évasion, avait projeté de partir pour le Japon et s'était résigné à des voyages moins lointains, en Allemagne, en Espagne, en Italie.

• L'Autodidacte : la synthèse des humanismes

Aux « enfants prodigues » que sont les surréalistes et les écrivains-voyageurs, Sartre oppose les « radicaux », tâcherons de la littérature, humanistes modestes auxquels l'Histoire a volé un public. C'est à ces humanistes que renvoie le personnage de l'Autodidacte : « Je vois réapparaître, pendant qu'il parle, tous les humanistes que j'ai connus » (p. 165). Certaines allusions permettent même de préciser le modèle : l'Autodidacte imite Renan sans le savoir et ressemble à « ce pauvre Guéhenno » (p. 170), grand admirateur de Renan, normalien quinze ans avant Sartre, qui a exprimé dans *Caliban parle* (1928) l'aspiration populaire à la culture bourgeoise, puis, dans le *Journal d'un homme de 40 ans* (1934), son expérience d'autodidacte. Or, par son origine modeste, sa foi dans la culture et dans l'homme, Guéhenno est bien le meilleur représentant de l'humanisme laïque dont Sartre se moque comme d'une tentation.

D'autre part, le personnage de l'Autodidacte est présenté comme un ensemble composite de traits parfois contradictoires empruntés aux différents humanismes qui pourtant s'harmonisent dans la philosophie éclectique diffusée aux futurs bacheliers dans les années 30 : il a enfermé en lui les différents humanistes « comme des chats dans un sac de cuir et ils s'entredéchirent sans qu'il s'en aperçoive » (p. 166). L'image qu'il a de la culture est bien celle qui, dans la première moitié du XXe siècle, fait du baccalauréat la condition nécessaire et non suffisante d'accès à la bourgeoisie : s'instruire consiste pour lui à assimiler en sept ans (la durée des études secondaires, précisément) un ensemble fini de connaissances encyclopédiques, celui que contient la bibliothèque de Bouville. Moyennant quoi il espère entrer, comme après une initiation, dans l'élite de bonne compagnie qui participe aux croisières Guillaume Budé (p. 57). Son esthétique même repose comme dans l'enseignement secondaire français sur une contradiction : l'Autodidacte espère bien amasser une somme de connaissances par son labeur et sa bonne volonté, mais il manquera toujours à ce parvenu de la culture ce privilège réservé aux héritiers qu'est le « goût » en matière d'art : « J'ai vu des jeunes gens qui ne savaient pas la moitié de ce que je sais et qui, placés devant un tableau, paraissaient éprouver du plaisir » (p. 154). Enfin, selon l'idéologie de l'enseignement classique que décrit A. Prost dans *L'enseignement en France de 1800 à 1964* (A. Colin, 1968), l'Autodidacte croit à la supériorité du passé sur le présent et redoute toute idée neuve : « Si c'était vrai, quelqu'un l'aurait déjà pensé » (p. 156). C'est pourquoi il présente toute problématique sous la forme convenue des sujets de dissertations rhétoriques donnés habituellement au lycée : « Ne doit-on pas... éviter soigneusement les alexandrins dans la prose ? » (p. 48), « Peut-on dire, avec Pascal, que la coutume est une seconde nature ? » (p. 56). La culture consiste pour lui à amasser les idées des autres, et à accumuler les citations, en un savoir exclusivement livresque.

L'Autodidacte, d'autant plus attaché à la culture classique qu'elle lui a été présentée comme un privilège de la classe supérieure, a l'idéalisme et l'universalisme de cette culture : il est plus attentif aux ressemblances qu'aux différences entre les hommes; il les aime d'un amour abstrait sans rien comprendre aux situations concrètes (pp. 169-171). Cet athée est un mystique : il voue au culte de l'Homme toute sa religiosité; sans être chrétien, il en a l'humilité, la bonne volonté, le respect de l'écriture et même l'ascétisme. Un tel portrait est bien celui de l'humanisme laïque du xxe siècle en France.

« LE CLAN DES PETITS CAMARADES »

A l'époque où il écrit *La nausée*, Sartre trouve contre ses victimes des complices dans ce que S. de Beauvoir appelle « le clan des petits camarades », et *La nausée* ressemble à un canular d'ancien normalien exilé en province : il se venge de son ennui en provoquant les bourgeois, mais il a besoin de ses amis comme spectateurs et il multiplie les signes de connivence à leur adresse. Les écrits des « petits camarades » permettent d'en déceler quelques-unes.

Certains sont simplement des souvenirs d'enfance : les jeux au Luxembourg (pp. 21-22), le séjour à La Rochelle en 1917 (p. 38). Les plus nombreux semblent des signes de connivence adressés au « Castor », S. de Beauvoir, à qui est dédié le livre. Ainsi, les souvenirs de voyage de Roquentin, du moins les plus riches en couleurs, semblent tirés de ses propres voyages en Espagne, au Maroc, en Italie, en Allemagne ; même la mention de la passion d'Oberammergau est authentique. Certaines allusions culturelles semblent puisées dans des découvertes communes : des écrivains comme Synge, Dos Passos [1], Mme de Charrière, Céline [2] ; des artistes comme Le Tintoret, Gozzoli ; des œuvres musicales, comme les « blues [3] ». *La nausée* paraît même prolonger des discussions et des jeux : quand Anny et Roquentin jouent à imaginer leur avenir, ils font des variations sur « la complainte sur le triste sort réservé aux normaliens » qui se chantait à l'École Normale du temps de Sartre. Anny découvre qu'il n'y a pas de « situations privilégiées » tout comme S. de Beauvoir en a eu l'illumination, un jour, à Rouen [4]. Enfin, même une comparaison anodine peut être une allusion : Roquentin compare l'une de ses souffrances à l'éléphant de mer, « avec trop de chair et la peau trop large à la fois » (p. 243). Or S. de Beauvoir rapporte une de leurs visites au Zoo de Vincennes, où ils avaient vu souffrir un éléphant de mer auquel ils s'amusaient ensuite à comparer Sartre : « Quand la tristesse décomposait le visage de Sartre, nous prétendions que l'âme désolée de l'éléphant de mer s'était emparée de lui [5]. »

1. *La force de l'âge*, p. 143. 2. *Ibid.*, p. 142. 3. *Ibid.*, p. 145. 4. *Ibid.*, p. 127. 5. *Ibid.* p., 23.

D'autres détails sont des allusions à des amis communs : le personnage d'Anny ressemble à « Camille », l'actrice qui travailla avec Dullin, que Sartre avait rencontrée dans son adolescence, quittée et retrouvée ensuite. Comme Anny, elle s'ingéniait à « créer des atmosphères », à susciter des disputes. Elle n'acceptait dans *Britannicus* que le rôle d'Agrippine [1]. Enfin, Sartre donne à un gendarme de Monistiers le nom de son camarade de promotion Nizan, tout comme dans *L'enfance d'un chef* (1938) il apparaît un « Général Nizan » (p. 203). Or Nizan, en 1938, met en scène dans *La conspiration* un « Commandant Sartre », comme si Sartre et Nizan, à l'époque du Bonvoust (service militaire, en argot d'étudiant), s'étaient mutuellement promis d'introduire l'autre sous forme de personnage parodique dans leurs premières œuvres.

De tels signes de connivence permettent de supposer dans *La nausée* l'existence de multiples codes plus ou moins secrets, et mettent le texte en situation de dialogue, que l'auteur soit provocateur ou complice de ceux auxquels il s'adresse. Mais en même temps, ils surprennent : *La nausée* est souvent considérée comme un grand texte philosophique qui renouvelle la conception du monde. Et pourtant, par certains aspects, c'est une pochade, un jeu de clerc qui se gausse des bourgeois en compagnie d'autres clercs.

---

1. *La force de l'âge*, p. 95.

Sartre et ses lectures
jusqu'à la remise du manuscrit de « Melancholia »
(d'après *La force de l'âge*).

Événements biographiques	Lectures et découvertes de Sartre	Événements négligés par Sartre
21 juin 1905 Naissance à Paris Grand-père protestant, oncle d'Albert Schweitzer		
1907 Mort du père		
1916 Remariage de la mère		
1917 Lycée de La Rochelle		
1924-1929 École Normale Supérieure : joue dans la « revue » de l'École Amitié de Nizan		
1924 Rencontre de « Camille »		
1926 Rencontre de S. de Beauvoir		
1929-1930 Agrégation Service militaire à Tours	Synge : *Le baladin du monde occidental* Freud : *Interprétation des rêves* Jaspers : *Pyschopathologie* La Gestaltheorie	Trad. de Kierkegaard : *Journal du séducteur*
Fév. 1931 Nommé au Lycée du Havre Publication, dans *Bifur*, de *La légende de la vérité* (fragment)	Romans policiers Buñuel : *Un chien andalou*	Heidegger : *Qu'est-ce que la métaphysique ?*
Juil. 1931 Vacances en Espagne		
Octobre 1931 Travaille sur le « factum sur la contingence » — Lettre sur l'arbre (le marronnier), citée dans *La force de l'âge*	Marx Brothers : *Plumes de cheval* (contestation du sens des objets)	Renommée de Kafka, pas encore traduit

Événements biographiques	Lectures et découvertes de Sartre	Événements négligés par Sartre
1932 Vacances au Maroc et en Espagne	Découverte de Husserl Céline : *Voyage au bout de la nuit* Scott : *Portrait de Zélide* Dos Passos : *42ᵉ parallèle* Hemingway : *50 000 dollars* *Le soleil se lève aussi*	
Avril 1933 Voyage à Londres	Malraux : *La condition humaine*	
Été 1933 Voyage en Italie		
1933-1934 Séjour à l'Institut Français de Berlin Rédaction de l'essai sur *La transcendance de l'ego* Fin de la 2ᵉ version de *Melancholia (La nausée)*	Kafka : *La métamorphose* *Le procès*	
Été 1934 Vacances en Allemagne Assiste à la Passion d'Oberammergau		
Hiver 1934 Retour au Havre. Visite du musée de Rouen Rédaction de *L'Imaginaire*	Husserl : *Leçons sur la conscience interne du temps*	
1935 Grèves au Havre	Faulkner : *Lumière d'Août* Nizan : *Le cheval de Troie*	
1936 Quitte Le Havre Vacances en Italie Publication de *L'imagination*		Ne vote pas aux élections du Front populaire
Fin 1936 Refus par la NRF de *Melancholia (La nausée)*		
Printemps 1937 *Melancholia* est accepté		
1938 Publication de *La nausée*		

ANALYSE

Les faits au jour le jour	Les découvertes de Roquentin : progression, organisation	Types d'écriture, à la manière de...
p. 9 : *Avertissement des Éditeurs*		Romans du XVIIIᵉ
pp. 11 à 14 : *Feuillet sans date* Un changement s'est produit dans la vie d'Antoine Roquentin : il ne voit plus les objets comme avant. Quelle est la nature et l'étendue de ce changement?	Nausée : le galet	Journal inachevé
pp. 15 à 24 : *Journal, lundi* 29 *et mardi* 30 *janvier* 1932 A. Roquentin prévoit un nouveau bouleversement dans sa vie déjà instable : dans son extrême solitude — il ne parle guère qu'à la patronne du café — les objets lui laissent « une sorte de nausée dans les mains ».	Érotisme : premier dégoût Petites Nausées	Description naturaliste Description phénoménologique
pp. 24 à 46 : *Jeudi, vendredi* A. Roquentin rencontre la bonne de l'hôtel, Lucie, qui lui raconte ses malheurs. A la bibliothèque, il travaille à son livre d'histoire, sans parvenir à faire concorder les témoignages. Il continue son travail à l'hôtel, mais il s'ennuie, se regarde dans la glace pour se distraire, sans se reconnaître. Au café, la Nausée le saisit devant les bretelles du garçon. Un air de jazz l'en délivre. Une promenade sur le boulevard Noir désert le rend heureux, mais il rencontre Lucie en plein désespoir, et envie la pureté de sa souffrance.	L'histoire : premiers doutes Le moi : premiers troubles Nausée : vaincue par la musique	Description naturaliste Documents historiques Description phénoménologique Description phénoménologique Description impressionniste Récit pathétique

Les faits au jour le jour	Les découvertes de Roquentin : progression, organisation	Types d'écriture, à la manière de...
pp. 46 à 64 : *Jeudi, vendredi, samedi* A la bibliothèque, A. R. découvre l'étonnante méthode de lecture de l'Autodidacte. A l'hôtel, il médite sur le temps, puis reçoit la visite de l'Autodidacte et lui montre des photos de voyages. Puis il s'interroge sur la notion d'aventure.	L'humanisme : la culture Le temps L'humanisme : le savoir livresque L'aventure : liée au récit	 Analyse philosophique Analyse philosophique
pp. 64 à 89 : *Dimanche, lundi* A. R. décrit le « formidable événement social » qu'est le dimanche à Bouville : coups de chapeaux, déjeuners, promenades sur la jetée. Le soir, il éprouve un vif sentiment d'aventure. Le lendemain, il se repent de cette « orgie », médite encore sur l'aventure. Son travail d'historien le déçoit de plus en plus. Le soir, il fait un cauchemar érotique.	Les « Salauds » vivants L'aventure : sens du temps L'histoire : déception Érotisme : refus	Description satirique Pastiches : conversations Récit surréaliste
pp. 89 à 103 : *Mardi gras* A. R. rêve de Barrès. Il reçoit une lettre de son amie Anny et essaie d'évoquer ses habitudes, son goût pour les « moments parfaits », son visage. Dans une gargote, il rencontre le Dr. Rogé et ironise sur les « professionnels de l'expérience ».	Anny et les « moments parfaits » L'expérience	Récit surréaliste Polémique
pp. 104 à 118 : *Mercredi, jeudi, vendredi* A. R. sent monter en lui une peur sans objet qui s'épanouit en panique par un jour de brouillard : il imagine des morts sanglants. Dans un jardin public, il voit un exhibitionniste fasciner une petite fille.	La peur Érotisme : obsession naissante	Conte fantastique
pp. 118 à 135 : *Samedi* A. R. d'abord seul, puis en compagnie d'un couple, contemple au Musée les portraits des Bouvillois illustres.	Les « Salauds » morts, l'expérience	Description satirique Pastiches : discours, hagiographies
pp. 135 à 147 : *Lundi, mardi* A. R. renonce à écrire son livre d'histoire. Il éprouve avec une violente répugnance le sentiment d'exister. A la lecture d'un fait divers, il évoque un viol. La musique met fin à ce vertige.	L'histoire : renoncement Le moi : découverte de l'existence Érotisme : obsession naissante La musique	 Monologue intérieur

Les faits au jour le jour	Les découvertes de Roquentin : progression, organisation	Types d'écriture, à la manière de...
pp. 147 à 191 : *Mercredi* A. R. déjeune avec l'Autodidacte qui lui confie sa foi en l'humanisme. Irrité, A. R. le quitte rapidement (pp. 147 à 175). Il saute dans un tramway dont la banquette subit sous son regard d'étranges transformations (pp. 176 à 178). Dans un jardin public, en contemplant une racine de marronnier, il a la révélation de la contingence (pp. 178 à 191).	L'humanisme : dogme et morale Nausée : découverte de la contingence	Description fantastique ou surréaliste Description phénoménologique
pp. 191 à 218 : *Vendredi, samedi, dimanche* A Paris, A. R. retrouve Anny, lasse et vieillie. Elle ne croit plus aux « situations privilégiées » ni aux « moments parfaits », et « se survit ». Malgré l'analogie entre ses expériences et celles de Roquentin, ils se séparent définitivement.	« *La fin* » Anny : faillite des « moments parfaits » Pathétique	
pp. 218 à 223 : *Mardi à Bouville* A. R. constate qu'il a raté sa vie. Il contemple Bouville du haut d'une colline et oppose à la vision bourgeoise qu'en ont ses habitants des prédictions fantastiques.	Roquentin : faillite de la liberté Bouville : faillite de l'humanisme collectif	Description surréaliste
pp. 224 à 235 : *Mercredi : Mon dernier jour à Bouville* A. R. vient flâner à la bibliothèque pour la dernière fois, et assiste à un drame : l'Autodidacte fait scandale en caressant la main d'un jeune garçon, se fait gifler et renvoyer de la bibliothèque.	L'Autodidacte : faillite du héros humaniste	Nouvelle tragique
pp. 235 à 248 : *Une heure plus tard* A. R. perd la conscience de son Moi. Au *Rendez-vous des Cheminots*, il évoque la médiocrité de son avenir de retraité à 30 ans. Mais la musique lui suggère une solution : faire comme le compositeur et la chanteuse, créer quelque chose, un livre de fiction.	Le Moi : perte d'identité La musique : le salut	Monologue sans « je » A la manière de Dos Passos

AMBIGUÏTÉ DE « LA NAUSÉE » :
UN « GENRE FAUX »?

Dans une lettre à S. de Beauvoir, Sartre révèle l'avis de Brice Parain sur le manuscrit de *La nausée* : « Il trouve le genre faux [1]. » Cette ambiguïté entrait bien en effet dans le dessein de Sartre, puisqu'il voulait « exprimer sous une forme littéraire des vérités et des sentiments métaphysiques [2] ».

Mais la tâche n'était pas facile : Sartre y a travaillé quatre ans, avec bien des remaniements. C'était au début « une longue et abstraite méditation sur la contingence [3] », ce que Sartre appelait son « factum sur la contingence ». Un « factum » est un pamphlet, « libelle d'un ton violent, dirigé contre un adversaire ». D'où, sans doute, le ton polémique de certains passages, où l'auteur, par-dessus la tête de son personnage, fait la satire des « professionnels de l'expérience » ou des humanistes. Les versions ultérieures de *La nausée* vont dans un autre sens, sur les conseils de S. de Beauvoir qui insistait « pour que Sartre donnât à la découverte de Roquentin une dimension romanesque, pour qu'il introduisît dans son récit un peu du *suspense* qui nous plaisait dans les romans policiers [4] ». Effectivement, ni dans l'organisation des faits ni dans la succession des types d'écriture, Sartre ne se soumet à un schéma unique.

La dimension romanesque
d'une découverte intellectuelle.

Comment donner une forme romanesque à une découverte intellectuelle ? On peut « incarner » cette découverte, la mêler à des aventures plus proprement romanesques; on peut d'autre part introduire du suspense dans la succession de ses phases.

---

1. *La force de l'âge*, p. 307.
2. *Ibid.*, p. 293.
3. *Ibid.*, p. 111. *Contingent* : qui est soumis au hasard, qui peut être ou ne pas être. Contraire : nécessaire.
4. *Ibid.*, p. 111.

- « *Incarnation* » d'une idée

Le premier moyen, le plus romanesque, pour « incarner » une découverte intellectuelle consiste à prendre comme héros l'individu qui en est l'inventeur, et à lui donner la vie complète d'un personnage de roman traditionnel, avec des idées, mais aussi des sentiments et des actions. Dans ce cas, pour intellectuelle qu'elle soit, sa quête l'engage comme n'importe quelle aventure. Dans *La nausée*, c'est bien une question intellectuelle que se pose dès le début Antoine Roquentin; sa vision des choses a changé : quelles sont « l'étendue et la nature de ce changement »? Mais une telle question peut bouleverser la vie du personnage : elle implique qu'il est peut-être fou. Sa découverte ensuite est une révélation d'ordre métaphysique : tout ce qui existe est contingent. Mais les conséquences en sont très pratiques : Roquentin ne sait plus que faire de sa vie, il « se survit ». Sa révélation métaphysique le conduit à une faillite personnelle, sauvée in extremis par une autre découverte intellectuelle suivie d'autres conséquences pratiques : l'existence peut être sauvée par la création esthétique.

Un deuxième procédé permet d'insérer des idées dans une trame romanesque. Il consiste à les incarner dans des personnages secondaires, qui subiront le sort qu'on veut donner à l'idée. C'est le procédé du conte philosophique ou du roman à thèse. Ainsi, dans *La nausée*, Anny incarne l'idéologie de l'aventurier, celui qui cherche « les moments parfaits »; et l'Autodidacte représente l'humanisme. Pour montrer la vanité de ces idéologies, il suffisait de présenter l'échec de ces personnages, de préférence sous une forme traditionnelle dans le roman (le départ en train de la femme vieillissante pour une vie luxueuse et vide, l'injuste châtiment d'un homme de bonne volonté), et d'orchestrer le tout en forçant la note du pathétique.

- *Le morcellement des découvertes successives*

Le troisième procédé consiste à interrompre le cours d'une réflexion philosophique pour y mêler d'autres réflexions, ou bien un récit d'action ou des confidences lyriques. La réflexion philosophique est alors traitée comme un thème musical : elle revient, sous formes diverses, à intervalles réguliers. Plusieurs thèmes se mêlent ainsi dans *La nausée* :

- Les trois thèmes de la recherche historique, de l'aventure et de l'expérience, qui se confondent quand Roquentin renonce à écrire son livre, puis resurgissent dans le finale avec la rencontre d'Anny.

- Les thèmes du moi, de l'érotisme et de la Nausée, avec son antidote la musique. Tandis que la conscience du moi se désagrège, que les obsessions érotiques deviennent plus angoissantes, Roquentin approfondit la nature de la Nausée jusqu'à la révélation de la contingence.

Certains de ces récits sont inachevés : c'est un début de roman (p. 63), un début de fait divers (p. 107). Les autres sont complets, avec leur structure et leur style propre. Roquentin ressemble à un héros picaresque dont les errances sont des prétextes pour raconter de courtes nouvelles. Les unes sont de simples croquis impressionnistes pris sur le vif, à peine narratifs : le heurt entre un Noir et une petite femme blonde (p. 20), l'émoi d'un enfant au soleil couchant (p. 81). Les autres sont structurées comme des apologues (p. 244) ou comme des anecdotes : l'histoire de Lucie résume un roman naturaliste (pp. 25 et 46); l'entrée du Docteur Rogé ressemble à une nouvelle de Hemingway, la vie du compositeur new-yorkais à un chapitre de Dos Passos. Deux passages utilisent les stéréotypes des récits d'épouvante : celui où Roquentin, le soir du dimanche, attend l'aventure dans les rues de la ville, et celui où il croit voir des morts dans le brouillard : dans les deux cas, le rythme du récit suscite des angoisses pour des faits imaginaires. Tout au contraire, le récit du scandale à la bibliothèque a la rigueur d'une nouvelle tragique, avec quelques effets pathétiques qui semblent empruntés au cinéma.

La nausée se présente donc comme le récit, morcelé en deux groupes de thèmes, d'une découverte intellectuelle rigoureuse, sur lequel se greffent de courtes anecdotes de styles très divers.

Au cours du texte, les thèmes s'organisent de la façon suivante :

- Au début du texte, une fois posé le problème à résoudre, les thèmes sont simplement énumérés, pour composer une ouverture.

- Depuis le dimanche à Bouville jusqu'à la visite du

Musée, le texte fonctionne comme une démonstration : tous les moyens utilisés par les « Salauds » et par les autres pour soustraire le temps à l'existence sont vains : la peur grandit.

- Elle s'épanouit dans la troisième partie, où se font les renoncements et les découvertes capitales.

- Le finale consacre les échecs de tous, « Salauds » et hommes de bonne volonté.

Diversité des types d'écriture.

La structure de *La nausée* est donc plus poétique que romanesque. Il est difficile d'y voir, comme l'aurait voulu S. de Beauvoir, le suspense d'un policier. Les conventions du genre romanesque sont moins sensibles dans l'organisation des faits que dans l'utilisation de certains types d'écriture.

Laissons provisoirement de côté tous les styles non narratifs qu'utilise Roquentin : dissertation philosophique, polémique, pastiches de critiques d'art, de discours, d'hagiographies. Roquentin est surtout un conteur d'histoires : « Pour l'anecdote je ne crains personne » (p. 53). Si l'ensemble du texte ne suit pas le schéma d'un roman, plusieurs épisodes de *La nausée* sont organisés comme un conte ou une nouvelle, dans des styles différents.

3   Conception du temps et représentation romanesque de la durée

Au milieu de *La nausée*, Roquentin exprime sa lassitude :
« J'en avais par-dessus la tête, de ces réflexions sur le passé,
sur le présent, sur le monde » (p. 136). En effet, dans la première partie, les méditations de Roquentin portent surtout
sur le temps et les diverses manières de l'appréhender. La
réflexion semble d'abord se disperser sur des thèmes dispa-
rates : les sciences historiques, la musique, l'aventure, l'expérience, pour aboutir à la même conclusion, à la révélation
de la contingence, que tente de masquer toute « mise en mots »
du temps. Or le traitement du temps romanesque dans
La nausée est une tentative, peut-être manquée, pour laisser
aux événements leur caractère contingent, tout en les enfer-
mant dans la suite nécessaire d'un récit.

CONTRE LE TEMPS : UNE CHANSON OU UN ROMAN

Tout au long de *La nausée*, Sartre oppose le temps de l'existence au temps de la musique. Il montre les vains efforts
pour transformer l'un en l'autre dans le travail de l'historien,
dans l'aventure et l'expérience. Puis il trouve dans la littérature le seul salut contre l'existence.

Temps « flasque » de l'existence et « rigueur » de la mélodie.

A trois reprises, au *Rendez-vous des Cheminots* et au *Bar de
la marine*, un air de musique, jazz et chanson, arrache Roquen-

tin à la Nausée. Et, à chaque fois, Roquentin oppose la nécessité de la musique à la contingence du temps quotidien. Il
attribue à l'une les traits de l'essence, à l'autre ceux de l'existence.

• « L'étroite durée de la musique »

Le « *rag-time* avec refrain chanté » qui plaît tant à Roquentin
a toujours le même effet magique : il fait disparaître brusquement le monde des existences. Toutes les images l'opposent
à l'existence. La mélodie est mince et dure : elle « n'a rien
de trop », c'est une « bande » ou « un ruban d'acier » (p. 39),
elle a une « transparence métallique », elle « traverse » le temps
de part en part, le « déchire de ses sèches petites pointes »
(p. 39), « perce » ses formes vagues, « tranche comme une
faux la fade intimité du monde » (p. 243); c'est l'équivalent
métaphorique du couteau que Roquentin plante dans sa
paume pour essayer de dissiper la Nausée. D'autre part,
elle est allègre, elle court, se presse, elle est « jeune et ferme »,
« impitoyable et sereine ». Toutes ces images très masculines
s'opposent à la mollesse féminine de l'existence.

Enfin, tandis que l'existence est contingente, la mélodie
s'impose comme nécessaire : les notes « ne connaissent pas
de repos, un ordre inflexible les fait naître et les détruit, sans
leur laisser jamais le loisir de se reprendre, d'exister pour soi »
(p. 38). Chacune d'elles a sa place dans la mélodie; on ne peut
ni les retenir, ni les isoler. Leur fin même est nécessaire :
« Il faut que j'accepte leur mort; cette mort, je dois même la
vouloir » (p. 38). La mélodie est donc ce qui ordonne le temps,
ce qui lui impose une forme et en justifie tous les instants.

De même que la Nausée, dès qu'elle apparaît, contamine
tout l'univers, la musique impose au monde sa nécessité :
« Quand la voix s'est élevée, dans le silence, j'ai senti mon
corps se durcir » (p. 39); la lumière a maintenant « un dur
sourire », le verre de bière « a l'air dense, indispensable »,
la tête du client voisin a « l'évidence, la nécessité d'une conclusion » (p. 40).

• « Ce temps où le monde est affalé... »

Le temps de l'existence s'oppose point par point au temps
de la musique. C'est une « flaque visqueuse ». Il est « trop

large », « il ne se laisse pas remplir. Tout ce qu'on y plonge s'amollit et s'étire », il est « fait d'instants larges et mous, qui s'agrandissent par les bords en tache d'huile » (pp. 37 et 38). Dès que la musique cesse, il « reprend sa mollesse quotidienne » (p. 60). Comme l'existence, le temps n'a pas de forme.

Tandis que la musique a la vigueur de la jeunesse, le temps, comme l'existence, n'est que lassitude : « A peine né, il est déjà vieux » (p. 38). Il porte les marques de ce qui s'abîme : « Derrière l'existant qui tombe d'un présent à l'autre, sans passé, sans avenir, derrière ces sons qui, de jour en jour, se décomposent, s'écaillent et glissent vers la mort, la mélodie reste la même, jeune et ferme, comme un témoin sans pitié » (p. 244). Roquentin ressemble aux héros de Faulkner : il voit le monde comme « un homme assis dans une auto découverte et qui regarde en arrière ». Son présent est un éclatement et un « enfoncement » : « Être présent, c'est paraître sans raison et s'enfoncer [1]. » En effet, lorsque Roquentin observe, de sa fenêtre, une vieille femme qui se déplace lentement, il ne distingue plus le présent du futur, c'est la même pâte indistincte : « C'est ça le temps, le temps tout nu, ça vient lentement à l'existence, ça se fait attendre et quand ça vient, on est écœuré parce qu'on s'aperçoit que c'était déjà là depuis bien longtemps (...) c'est du neuf terni, défloré, qui ne peut jamais surprendre » (p. 51). Comme pour les héros de Faulkner et de Proust, le temps de Roquentin a perdu sa dimension d'avenir : Roquentin ne fait pas de projets, il « se survit ». Son temps se réduit à un présent qui se dégrade.

- « *L'existence est sans mémoire* »

Le passé n'a pas plus d'existence que l'avenir. Lorsque Roquentin évoque ses voyages, il n'en retient d'abord que quelques images, de plus en plus confuses, puis « certaines connaissances abrégées », des anecdotes, et enfin les mots viennent peu à peu « prendre la place de plusieurs images » (p. 54). C'est ainsi que Roquentin oublie le visage d'Anny : « Est-il seulement possible de penser à quelqu'un au passé ? »

---

1. Sartre, *Situations I* : « La temporalité chez Faulkner », Gallimard, 1947, p. 72.

(p. 95). Il oublie même le passé le plus immédiat : il ne retrouve plus l'impression de Nausée éprouvée quelques instants auparavant, ou bien il ne reconnaît plus la phrase qu'il vient d'écrire : « Je ne pouvais même plus la repenser » (p. 137). C'est pourquoi sa vie paraît étonnamment discontinue; elle a un « aspect heurté, incohérent » (p. 16) : brusquement, ses six années de voyage, ou les trois ans de bonheur avec Anny s'écoulent dans le passé, dont il ne reste rien. Car le passé se fixe dans les choses, non dans l'esprit.

La même discontinuité frappe tout existant : « cette idée de passage », c'est « une invention des hommes » : elle impliquerait encore un ordre, une sorte de nécessité, que Sartre refuse aux existants : « Tout d'un coup ils existaient et ensuite, tout d'un coup, ils n'existaient plus : l'existence est sans mémoire; des disparus, elle ne garde rien - pas même un souvenir » (p. 187). Il nie ce qui donnerait une forme au temps, sa division en passé, présent et futur : « La vraie nature du présent se dévoilait : il était ce qui existe, et tout ce qui n'était pas présent n'existait pas. Le passé n'existait pas. Pas du tout. Ni dans les choses ni même dans ma pensée » (p. 137). Chaque instant est « borné de tout côté » (p. 220), et pourtant il n'en reste plus tard qu'un « songe brouillé ».

Comment « raffermir la durée »?

La nausée ne fait qu'énumérer, chez Roquentin et les autres, « des tentatives qui semblaient sans liens » et où pourtant on retrouve le même désir : « chasser l'existence hors de moi, vider les instants de leur graisse, les tordre, les assécher, me purifier, me durcir, pour rendre enfin le son net et précis d'une note de saxophone » (pp. 243-244). La première tentative consiste pour Roquentin à essayer de retrouver le passé de M. de Rollebon pour le fixer dans un livre d'histoire. Il n'abandonne cette entreprise qu'au milieu du livre, après avoir constaté l'échec des deux autres tentatives, la sienne, lorsqu'il s'abandonne au sentiment d'aventure, celle des autres, lorsqu'ils changent leur passé en expérience.

• *Les recherches historiques*

Roquentin décrit en trois passages l'évolution de ses recherches sur M. de Rollebon. Il a d'abord éprouvé pour l'homme une attirance : « Comme il m'a paru séduisant et comme, tout de suite, sur ce peu de mots, je l'ai aimé ! » (p. 26). Mais, en dix ans de recherches, la figure du marquis « a bien pâli », et elle commence à ennuyer Roquentin.

En effet, malgré la masse de documents qu'il possède, il lui paraît impossible de découvrir la vérité sur Rollebon : « Ce qui manque, dans tous ces témoignages, c'est la fermeté, la consistance. Ils ne se contredisent pas, non, mais ils ne s'accordent pas non plus; ils n'ont pas l'air de concerner la même personne » (p. 27). De fait, les textes de divers témoins qu'il cite pages 30 et 31 ne permettent pas de composer un portrait cohérent; ils fournissent « des hypothèses honnêtes et qui rendent compte des faits : mais je sens si bien qu'elles viennent de moi, qu'elles sont tout simplement une manière d'unifier mes connaissances » (p. 28). L'ordre qu'on veut donner aux faits leur reste extérieur. On ne peut rien prouver, rien croire, ni les témoignages des autres, ni les confidences de Rollebon lui-même, car « il dupait » son monde, c'était « un cabotin, » un « menteur » (p. 87). Et en effet, c'est « une petite objection de rien » qui finit par tuer les recherches de Roquentin. Dès lors, même les lettres de Rollebon que Roquentin a volées perdent leur caractère de réalité : il n'en reste plus qu'une liasse de feuilles jaunes, qui ne signifient rien parce que le passé n'existe pas.

• *L'expérience, « passé de poche, petit livre doré plein de belles maximes »*

D'autres découvertes ont amené Roquentin à nier le passé : les descriptions de la statue d'Impétraz, du Docteur Rogé et des portraits au Musée contiennent les mêmes images et la même polémique : dans tous ces personnages, la vie s'est transformée en chose, Impétraz en statue, le visage de Rogé en masque, les grands hommes de Bouville en toiles peintes : tous ont « empaillé » leur passé. Sous cette forme, ces « professionnels de l'expérience » (p. 100) en font un même usage : ce sont des « grands-pères », ils mettent leur érudition au service des « petites idées », des bonnes idées, des « saintes idées » que la tradition a léguées aux « dames en noir » (p. 47); ils transforment leur expérience en conseils « à l'usage des femmes et des jeunes gens »; ils voudraient « nous faire croire que leur passé n'est pas perdu, que leurs souvenirs se sont condensés, moelleusement convertis en Sagesse » (p. 101). Tous « expliquent le neuf par l'ancien » (p. 102), fondent tout sur « de solides raisons, à l'ancienne » (p. 126). Comme l'Autodidacte, ils représentent une culture qui sacralise le passé. Et ce n'est pas un hasard si Roquentin renonce à un livre d'histoire aussitôt après avoir contemplé dans un musée des portraits que des morts ont laissés à la postérité.

• Le sentiment de l'aventure

La troisième tentative pour durcir le temps ne concerne plus le passé, mais une manière de vivre le temps en le transformant en aventure. Ce thème semble avoir été une des préoccupations essentielles d'Anny et de Roquentin, qui jouaient « à l'aventurier et à l'aventurière » (p. 211). Il apparaît en même temps que celui de la musique, et les mêmes termes sont utilisés pour l'un et pour l'autre. En effet, l'aventure n'est pas dans les faits, mais dans « la façon dont les instants s'enchaînent » (p. 85). Comme la musique, elle est le contraire de la Nausée, elle donne le sentiment de la rigueur : « Je ne sais si le monde s'est soudain resserré ou si c'est moi qui mets entre les sons et les formes une unité si forte : je ne puis même pas concevoir que rien de ce qui m'entoure soit autre qu'il n'est » (pp. 82-83). Comme dans la mélodie, l'ordre des événements est imposé : « Jamais je ne pouvais revenir en arrière, pas plus qu'un disque ne peut tourner à rebours » (p. 41). Alors que, dans le sentiment d'existence, le temps paraît un enfoncement, dans l'aventure, il est un mouvement nécessaire : « On voit une femme, on pense qu'elle sera vieille, seulement on ne la *voit* pas vieillir. Mais, par moments, il semble qu'on la *voie* vieillir et qu'on se sente vieillir avec elle : c'est le sentiment d'aventure », qui n'est autre que celui de « l'irréversibilité du temps » (p. 85).

Livres d'histoire et livres de fiction.

Dans son analyse de l'histoire, de l'expérience et de l'aventure, Roquentin refuse non seulement une certaine conception du temps, mais une manière de le mettre en mots dans des récits.

Quand Roquentin découvre qu'on ne peut retenir ni son propre passé, ni celui des autres, il aboutit à une forme d'agraphie : il répète quatre fois la dernière phrase qu'il vient d'écrire, sans pouvoir la continuer (pp. 135 à 140) : si le passé n'existe pas, le récit qui le rapporte n'a plus de sens. La critique de l'expérience l'amène aussi à rejeter les anecdotes en même temps que les conseils que les « professionnels de l'expérience » prodiguent comme des « distributeurs automatiques ». Car les anecdotes n'ont rien de commun avec le réel : elles ne sont que vraisemblables, et « le vraisemblable disparaît avec les amis », parce qu'il est affaire de convention sociale. Il n'existe pas d'histoires vraies, parce que tout récit transforme les événements en aventure.

Or, les aventures n'existent pas, elles « sont dans les livres » : « Pour que l'événement le plus banal devienne une aventure, il faut et il suffit qu'on se mettre à le *raconter* » (p. 61). Un récit, en effet, impose une forme au temps flasque de l'existence, il lui donne un début et une fin. Et tandis que, dans la vie, les instants « s'empilent au petit bonheur », la fin du récit leur donne un sens : « Les événements se produisent dans un sens et nous les racontons en sens inverse » (p. 63).

L'erreur est de vouloir transformer l'existence en récit. Tous y succombent : jeunes gens et quadragénaires : « Un homme, c'est toujours un conteur d'histoires, il vit entouré de ses histoires et des histoires d'autrui, il voit tout ce qui lui arrive à travers elles; et il cherche à vivre sa vie comme s'il la racontait. Mais il faut choisir : vivre ou raconter » (p. 62). Roquentin a failli commettre la même erreur : « J'ai voulu que les moments de ma vie se suivent et s'ordonnent comme ceux d'une vie qu'on se rappelle. Autant vaudrait tenter d'attraper le temps par la queue » (p. 64).

● *Le salut par les livres*

Pourtant, c'est la littérature qui fournit, en guise de happy end, un moyen de « salut » : comme « le juif et la Négresse », le compositeur et la chanteuse, Roquentin sera « sauvé » de l'existence s'il écrit un livre. Ce vocabulaire chrétien, dans les dernières pages, contraste avec l'ensemble du texte, et paraît surajouté, comme une solution conventionnelle, à laquelle l'auteur semble déjà ne plus croire.

Pourtant, cette fin a été préparée. Chaque fois que Roquentin pense à M. de Rollebon, il lui vient l'idée d'écrire à la place d'un livre d'histoire un ouvrage de pure imagination : « Des personnages de roman auraient l'air plus vrais, seraient, en tout cas, plus plaisants » (p. 28). Il envisage d'écrire un roman sur M. de Rollebon, dont il peut « évoquer » le visage à volonté, parce qu'il est devenu une « image », une « fiction » (p. 139). Et à la fin, quand Roquentin pense au compositeur et à la chanteuse, il emploie les termes qu'il aurait utilisés pour décrire le bonheur de l'aventure : ils sont un peu « comme des héros de roman » (pp. 82 et 246).

Roquentin reste donc fidèle à sa règle : il ne transformera pas l'existence en récit, parce que « jamais un existant ne peut justifier l'existence d'un autre existant » (p. 247). Il lui faut écrire une histoire « comme il ne peut en arriver », qui soit « belle et dure comme de l'acier » (p. 247). Cette définition reste très vague, et il n'est pas sûr que *La nausée* réponde aux critères que Roquentin inscrit ainsi à la fin du texte. Mais cette ambition pourrait expliquer l'ambiguïté du genre littéraire auquel appartient le texte.

DURÉE ET DISCONTINUITÉ DANS « LA NAUSÉE »

L'analyse du temps dans le récit, que Roquentin amorce dans *La nausée*, Sartre l'a continuée dans plusieurs articles de *Situations I* [1]; ils permettent d'interpréter le traitement du temps romanesque dans cet étrange journal qu'est *La nausée*.

Théories du temps romanesque dans « Situations I ».

S. de Beauvoir montre combien Sartre s'est intéressé à Dos Passos. A propos de *1919*, il distingue le roman, où le passé simple n'est « qu'un présent avec recul esthétique », où les personnages paraissent libres, et le récit, qui souligne les liens de causalité entre les événements et où le passé est un vrai passé. Le temps de Dos Passos n'est ni celui du roman,

1. Les articles réunis dans *Situations I* ont été écrits peu de temps après *La nausée*.

ni celui du récit : les faits y sont bien passés, mais non ordonnés dans une suite causale : raconté au passé, le présent paraît figé tout en gardant son caractère contingent.

La critique sévère que Sartre fait de Mauriac souligne un autre aspect de la durée romanesque : sa lenteur. Sartre reproche à Mauriac d'écrire en dramaturge, en stylisant quelques scènes qu'il réunit ensuite par de brefs résumés : Mauriac lésine sur le temps. Le « vrai romancier », au contraire, s'attarde sur l'insignifiant et l'informe, qui donnent à la durée vécue son « cours majestueux ».

Les articles sur *L'étranger* et sur Ponge révèlent un trait moins connu du temps romanesque, qui semble en contradiction avec le précédent : la discontinuité. « Il faudrait montrer (...) pourquoi les « amateurs d'âmes » comme Barrès se tiennent du côté de la continuité et pourquoi les « amateurs de choses » préfèrent le discret [1] ». Sartre, bien sûr, ne dissimule pas sa préférence pour le discontinu, qu'il relève aussi chez Camus, comme chez Hemingway : chaque phrase « refuse de profiter de l'élan acquis par les précédentes, chacune est un recommencement [2] ». Ce type d'écriture semble convenir à un récit « existentialiste », qui exprime la contingence des événements et la spontanéité des personnages.

Représentation du temps dans « La nausée ».

Ces trois traits du temps romanesque se retrouvent dans *La nausée*, bien que Sartre, au moment où il écrit ce texte, ne puisse pas encore connaître Camus et Ponge.

• *Entre le roman et le récit*

Pour représenter le temps, *La nausée* mêle les procédés du roman et du récit, du monologue intérieur et du journal intime. Sauf dans quelques retours en arrière, - un souvenir d'enfance, des souvenirs de voyage, l'évocation d'Anny -, le temps dans *La nausée* n'est pas celui des mémoires, mais du journal intime, qui implique un décalage de quelques heures entre le temps de l'événement et celui de sa narration. Cela permet des effets de suspense : souvent Roquentin commence par présenter, au présent, l'événement du jour. Puis, au passé,

1. *Situations I*, p. 274. 2. *Ibid.*, p. 113.

il montre comment il est parvenu à ce résultat. Par exemple, il assène brutalement, au présent, un fait important : « Je n'écris plus mon livre sur Rollebon ; c'est fini » (p. 135). Puis il raconte longuement, au passé, comment il en est venu là : « Il était trois heures. J'étais assis à ma table. » Il obéit ainsi, pour donner le sentiment d'une aventure intellectuelle, à la règle des conteurs qui veut qu'on raconte les événements en sens inverse. Il en est de même pp. 36, 119, 178, 224.

Mais cela ne dure jamais plus de quelques pages : Roquentin enchâsse dans du présent ces courts récits au passé récent. Les passages au présent sont de deux sortes. Certains, les plus conventionnels, ne s'expliquent que par un présent de narration : lorsque Roquentin raconte ses errances dans Bouville, le déjeuner avec l'Autodidacte, la visite à Anny, les événements ne peuvent être contemporains de la narration. Il s'agit d'un présent reconstitué après coup.

Mais il existe aussi de vrais présents, où Roquentin évoque le moment même où il écrit, chez lui, à la bibliothèque, au café : « Il est une heure et demie. Je suis au café Mably » (p. 18). Dans ce cas, il peut décrire ce qu'il voit autour de lui, les idées qu'il ressasse, ou bien il commente ce qu'il est en train d'écrire : « Je crois que je vais avoir la Nausée et j'ai l'impression de la retarder en écrivant. Alors j'écris ce qui me passe par la tête » (p. 241). Roquentin fait donc alterner les deux formes narratives, celle du roman et celle du récit : quand, dans le récit, il raconte au passé un événement dont il connaît déjà la fin, il donne à l'événement son sens et sa cohérence. Au contraire, quand il utilise le présent, il garde au texte l'allure imprévisible de la spontanéité. L'emploi des temps correspond, dans le contenu, à l'alternance entre la vie et la réflexion.

• Lenteur et brusquerie du temps

Critiquant Mauriac, Sartre affirme que, dans un roman, « il faut se taire ou tout dire, surtout ne rien omettre, ne rien " sauter [1] " ». Et pourtant, La nausée n'obéit pas à cette esthétique : le procédé du journal intime, qui morcelle la narration en la datant, souligne les lacunes du récit. Du début de janvier

1. *Situations I*, p. 53.

au début de mars, Roquentin « saute » près d'un mois, et souvent plusieurs jours par semaine. Rarement il résume ce qui s'est passé entre deux journées racontées, et quand il le fait, c'est pour souligner l'insignifiance de ces intervalles. Ainsi, après la découverte du sentiment de l'existence, il constate : « Mardi. Rien. Existé » (p. 147). De même, quand, avant de retrouver Anny, il signale, toujours en style télégraphique : « Forte impression d'aventure » (p. 191), toute analyse serait désormais superflue, puisqu'il a déjà montré la vanité de ce sentiment.

La narration est donc bien lacunaire, et Sartre n'emploie pas souvent les « raccourcis » qui permettraient de réduire les lacunes à un « changement de vitesse ». La rupture de ton entre deux journées accentue les heurts de la narration. Roquentin renie souvent ses sentiments de la veille dans lesquels il « n'entre plus » : « Comment ai-je pu écrire, hier, cette phrase absurde et pompeuse (...) ? » (p. 84). Obéissant, avant la letttre, à l'écriture existentialiste dont Sartre dégagera plus tard les grands traits [1], Roquentin semble refuser chaque jour son passé et recommencer, quotidiennement, un nouveau récit.

Pourtant, il tient son journal avec une minutie étonnante pour qui se désintéresse de la société, donc du temps des horloges. La narration progresse parfois d'heure en heure, et Roquentin la signale par des indications chronologiques précises. Mais ce n'est pas par souci de vraisemblance : le reste du texte la bafoue volontiers. C'est un moyen de présenter « le glissement, les frôlements » (p. 52), la « lenteur » du temps de l'existence. Roquentin produit le même effet quand il observe pendant dix minutes une vieille femme qui trottine dans la rue (pp. 51, 52). Deux procédés contraires donnent ainsi l'impression de la contingence temporelle dans *La nausée* : la discontinuité du récit ôte tout sens à la suite des événements ; les « ralentis » ternissent le temps, lui ôtent sa dimension d'avenir.

---

1. *Situations I :* « Explication de *L'étranger* », pp. 99-121.

La fascination des choses | 4 |

Si le dessein de Sartre, dans *La nausée*, est d' « exprimer sous une forme littéraire des vérités et des sentiments métaphysiques [1] », c'est que la vérité qu'il a découverte n'est pas réductible à des raisonnements. Ainsi, lorsque Roquentin évoque « l'existence » de la racine de marronnier, il le fait en deux temps : il commence par penser « sans mots » *sur* les choses, *avec* les choses ; ensuite, seulement, le mot d'Absurdité naît sous sa plume, au moment de la réflexion sur une expérience fondamentale, « métaphysique », c'est-à-dire à la fois intellectuelle et sensible, presque mystique dans ses manifestations. En quoi consiste cette expérience ? Comment la « mettre en mots » ?

« UNE EXTASE HORRIBLE » (p. 184)

Cette expérience est bien de nature sensible ; elle transforme la perception ordinaire du monde. Elle opère une sélection irrationnelle parmi les qualités des objets et l'être qui la ressent éprouve une sensibilité presque anormale.

« La nausée » est-elle une histoire de fou ?

Le livre commence comme l'étude d'une maladie mentale : la manière dont Roquentin voit les choses a changé. Il écrit pour « déterminer exactement l'étendue et la nature de ce changement » (p. 11), il y renonce quand il croit guérie « cette

1. SIMONE DE BEAUVOIR, *La force de l'âge*, p. 293.

petite crise de folie », et s'y remet une fois persuadé que « la maladie » est « dans la place », sournoisement installée.

De fait, c'est bien une sorte de folie que présente cet homme seul, et qui se veut tel. On pourrait interpréter son histoire comme celle d'un « cas », et lui-même a des doutes à ce sujet. Il souligne tout ce qui peut paraître anormal en lui : son caractère impulsif : « Je suis sujet à ces transformations soudaines » (p. 16), ses colères subites, le brusque désir de faire scandale, de tuer ou de se tuer. Son mode de vie est anormal : son travail ne lui donne aucun rôle social, il vit isolé dans une chambre d'hôtel, sans amis ni connaissances.

Ses relations avec le monde sensible sont encore plus pathologiques. On constate une ressemblance étonnante entre certaines phrases de Roquentin et des témoignages de malades mentaux cités par des médecins comme Janet. Laissons de côté, comme un péché mignon, son goût morbide pour les papiers sales. Mais il fait un usage étrange de son regard qu'il prétend doué d'un certain pouvoir : il a une belle pipe vernie, « on la regarde, le vernis fond » (p. 29). Il se livre parfois à des opérations de désenvoûtement : au Musée, il s'amuse à regarder les portraits peints droit dans les yeux : « Lorsqu'on regarde en face un visage éclatant de droit, au bout d'un moment, cet éclat s'éteint » (p. 128). Et il lui semble que, tant qu'il peut fixer les objets, il se met à l'abri de leurs éventuelles agressions (p. 114). Enfin, il a souvent des visions : la contemplation de son visage le conduit à l'hypnose (p. 32). Il se croit appelé à une mystérieuse aventure, un dimanche soir, dans la ville déserte (pp. 81 à 84). Une journée de brouillard le plonge dans l'angoisse et la panique. Ses rêves sont toujours des cauchemars. Prophète qui se délecte de visions morbides, il joue les Cassandre en promettant les pires atrocités à une ville qu'il déteste (p. 221).

Dans ces conditions, la Nausée pourrait bien être une maladie. Elle vient par « crises », toujours de la même façon. Elle est toujours précédée d'un malaise : le galet ne suscite qu'une « espèce d'événement douceâtre ». Puis les symptômes sont plus nets : il a l'impression de flotter (p. 35), un mauvais goût dans la bouche (p. 172), un « immense écœurement » (p. 137). Prévenu, le malade peut essayer d'éloigner la crise : il évite de bouger (p. 141), de parler (p. 172). Précautions inutiles : le mal s'abat brutalement : « Je me suis arrêté net »

(p. 15), « la Nausée m'a saisi » (p. 35), « ça y est » (p. 31, p. 172). Et tous les termes qui la désignent impliquent la passivité du patient : elle « saisit », elle « tient », elle ne « quitte plus ».

Faut-il admettre pour autant cette interprétation des diverses Nausées ? Ce n'est pas celle de Sartre, en tout cas, ni celle de Roquentin ; p. 178, il la repousse : « La Nausée ne m'a pas quitté (...) mais je ne la subis plus, ce n'est plus une maladie ni une quinte passagère : c'est moi. » Bien sûr, on pourrait voir dans cette exaltation la plus grave crise de folie du narrateur ; c'est sans doute ce que penseraient les « Salauds ». Ou bien interpréter sur le mode parodique ce mysticisme d'un athée, nouveau Moïse devant l'arbre du Seigneur. Mais pour cela, il faudrait extrapoler. Roquentin, lui, fait de la Nausée une expérience métaphysique qui permet de « toucher » l'existence des choses.

- *Répulsion*

Si enrichissante qu'elle soit, cette expérience, comme toute entreprise magique, provoque en même temps l'épouvante, la répulsion et une étrange fascination : le galet suscite un sentiment bizarre, appelé d'abord l'écœurement, puis la peur. Et il en est de même pour des objets fort divers, feuille de papier, pipe, fourchette, loquet, verre, bretelles, main, visage, couteau, banquette, racine. Ces objets n'ont aucun point commun entre eux, et la fascination qu'ils exercent n'est pas due à une qualité qui leur serait propre. D'où viennent donc ces sentiments ?

D'autres circonstances éveillent en Roquentin des sentiments analogues : quand il entre dans le café désert (p. 113), il le contemple avec « dégoût », puis une « panique » s'empare de lui, et pourtant, il a « *besoin* » de voir M. Fasquelle qu'il croit mort. Les gestes de l'amour avec la patronne du *Rendez-vous des Cheminots* ont le même effet, tout comme l'évocation du viol, celle de l'amour des commerçants à la brasserie Vézelize, celle du plaisir d'Anny, ou, pour la petite fille, la vue de l'exhibitionniste. Comme l'amour ou la mort, « l'existence » suscite la répulsion et l'horreur du sacré. Existants, les objets deviennent tabou : on n'ose ni les toucher ni les regarder, comme s'ils possédaient un pouvoir de contagion, ils sont dangereux mais fascinants comme la transgression, comme la monstruosité.

Si on essaie de classer les termes qui caractérisent l'existence, on détermine une série d'oppositions, finalement réductibles à une seule.

Sensations tactiles	Autres sensations	Qualités intelligibles
dur : mou, tendre, doux, flasque solide : liquide, pâteux, épais, sirupeux, amorphe, mousseux sec : mouillé, moite, poisseux, gras, huileux froid : tiède ferme : bouffi, gonflé, boursouflé, gros	net : flou, flottant épicé : sucré, fade, doux	pur : taché, souillé, obscène stérile : proliférant minéral : organique abstrait : concret

Une première remarque s'impose : c'est la richesse des sensations tactiles (p. 24). Ensuite les termes qui décrivent l'existence sont beaucoup plus abondants que ceux qui définissent l'essence. Cela s'explique : l'essence est une, déterminée ; elle est ce qu'elle est, et rien d'autre. L'existence, au contraire, est fuyante, pâteuse, tiède, fade ; elle hésite entre plusieurs qualités. Elle se définit surtout par la négative.

Certains objets privilégiés, le galet boueux, le feuillet souillé, la mer, la main-crabe, ont ceci de particulier qu'ils présentent à la fois le dur et le gluant, le pur et le souillé. Ce sont des « objets à deux faces [1] », qui portent en eux la « coexistence contingente » de deux qualités antinomiques et cependant indissociables.

Si tous les objets peuvent donner le sentiment « d'exister », certaines substances, par les significations qu'elles contiennent, les symbolisent tout particulièrement : ce sont des substances organiques, plus ou moins liquides, tièdes, fades, associées à la vie, presque toutes pâles : les larmes, le lait, le sperme, la lymphe, le pus, « le sang pâle » ; elles semblent grouper toutes les qualités que Sartre réunira plus tard sous le terme de « visqueux ». Mais le mot ne figure qu'une fois dans *La nausée*.

1. Article de Jean Pellegrin : « L'objet à deux faces dans *La nausée* », *Revue des Sciences humaines*, janvier-mars 1964.

Toutes les qualités énumérées jusque-là sont statiques. D'autres décrivent une modification de « l'existence »; elles vont dans deux sens apparemment contradictoires, et cependant conciliables. Une première catégorie de termes associe « l'existence » à une prolifération organique désordonnée : éclosions, évanouissements, craquements, grouillements, palpitations, éclatements. Mais, chose curieuse, aucune distinction n'est faite entre la croissance normale de la jeunesse, et la vie grouillante de la décomposition; ou plutôt, l'une disparaît au profit de l'autre : Roquentin refuse de voir dans la nature « de jeunes forces âpres qui jaillissent vers le ciel ». De telles existences appartiendraient à la catégorie du dur. Au contraire, il ne voit que boursouflures, bouffissures, ventres ballonnés, « ignoble marmelade », termes qui connotent la mort autant que la vie : c'est la vie anarchique des larves dans la pourriture, ou celle des chancres et des parasites. C'est pourquoi toute vie physique le dégoûte : il ressent la nourriture et l'amour comme de tristes nécessités. Toutes deux impliquent, dans la digestion et la grossesse, tout un travail osbcur de la matière : il associe sa digestion à celle des choses (pp. 180-181), et la longue description de l'existence dans le jardin public se termine par l'évocation - brusquement horrible - du couple sensuel de la brasserie Vézelize (pp. 188-189). Pour la même raison, Roquentin redoute la Végétation, et, comme Baudelaire, il lui préfère les minéraux, « les moins effrayants des existants » (p. 218). Tous ces termes qui caractérisent « l'existence » prennent donc une valeur négative : elle est obscène, monstrueuse, de trop; elle va contre la décence, la nature, la mesure.

Une deuxième catégorie de termes renforce cette impression : le « bourgeonnement universel » n'a rien de triomphant : c'est une prolifération malsaine de cellules toutes semblables (p. 187), d'existences manquées, qui semblent aspirer à la mort : un cancer. D'où les termes de « lassitude », « vieillesse », « affalement », « tas noir et mou avec des plis », « larve coulante », et toutes les « mares » qui envahissent le livre, mares de sang, mares et flaques de temps, mares de lumière, flaques de bière.

LE MONDE RENVERSÉ DE LA CONTINGENCE

Un texte critique de Sartre, écrit en 1943 et publié dans *Situations I*, permet d'expliquer après coup la présentation du monde sensible dans *La nausée*. Il concerne *Aminabad*, de Blanchot. Sartre, qui, entre-temps, a lu Kafka, découvre une nouvelle forme du fantastique, où le monde se trouve à l'envers. Les choses y « manifestent une pensée captive et tourmentée, à la fois capricieuse et enchaînée, qui ronge par en dessous les mailles du mécanisme, sans jamais parvenir à s'exprimer ». Il n'y a plus de différences entre la matière et l'esprit, qui se mêlent contre leur gré. « Tout n'est que malheur : les choses souffrent et tendent vers l'inertie sans y parvenir jamais ; l'esprit humilié, en esclavage, s'efforce sans y atteindre vers la conscience et la liberté [1] ».

Une telle définition du fantastique permet d'interpréter de la même manière des fragments de texte fort différents à première vue : toutes les scènes de Nausée ; mais aussi d'autres scènes où le mot de « Nausée » n'apparaît pas : la description de Bouville par temps de brouillard (pp. 104 à 118), la découverte de l'existence (pp. 139 à 147), et l'Apocalypse à Bouville (pp. 220 à 223). Enfin, en dehors de ces fragments nettement « fantastiques » (le mot est de Sartre, dans une lettre à S. de Beauvoir, citée dans *La force des choses*, p. 307), de courtes images peuvent rappeler à tout moment l'inquiétante présence d'un monde à l'envers : les distinctions entre l'humain, l'animal, le végétal et le minéral disparaissent, dans l'énorme confusion de la contingence.

Les hommes empâtés dans la matière.

De courtes métaphores changent les hommes en bêtes. Les unes sont seulement des clichés porteurs d'un sens symbolique : l'humilité de l'Autodidacte fait de lui un chien qui ronge un os, une brebis ou un âne. D'autres ont simplement une valeur descriptive : un homme a « une tête de chien » (p. 37), un autre des « yeux de poisson » (p. 21), des femmes sont traitées de « cloporte », de poule (p. 77), de souris (p. 48). L'animal privilégié semble être le crabe : « Tout d'un coup,

1. *Situations I*, p. 124.

j'ai perdu mon apparence d'homme et ils ont vu un crabe qui s'échappait à reculons de cette salle si humaine » (p. 174). S. de Beauvoir rapporte dans *La force de l'âge* que Sartre, se croyant menacé de psychose hallucinatoire, se prétendait poursuivi par des crustacés, et l'image, en effet, revient plusieurs fois dans son œuvre, depuis *L'enfance d'un chef* jusqu'aux *Séquestrés d'Altona*. Le crabe symbolise l'être-pour-autrui : il a la démarche équivoque de la mauvaise foi ; il est dur dehors et tendre dedans. Dans *La nausée*, il appartient à la série des objets qui ont un dos et un ventre, un envers et un endroit (p. 141).

Plus originales et significatives sont toutes les métaphores qui transforment seulement une partie du corps : crabe, araignée, milan, ver blanc, éclair rougeaud, sexe mâle, la main n'est plus une main ; les parties du corps ont acquis une indépendance inquiétante jusqu'à l'horreur, lorsque la langue devient un mille-pattes qu'on ne peut arracher (p. 222). L'épouvante vient alors de deux raisons : le corps semble se dissocier ; le désordre naît dans le Moi.

Les images qui transforment les visages ont une signification différente : tout visage humain est un masque de carton sec et dur. Ainsi le visage du Docteur Rogé (p. 102), ou celui d'Anny, qui « change de visage, comme les acteurs antiques changeaient de masque » (p. 202). Mais ces masques ramollissent, comme ceux des enfants déguisés sous la pluie un mardi gras (p. 96). Et le visage régresse du règne supérieur au règne inférieur : « Ma tante Bigeois me disait, quand j'étais petit : « Si tu te regardes trop longtemps dans la glace, tu y verras un singe. » J'ai dû me regarder encore plus long-temps : ce que je vois est bien au-dessous du singe, à la lisière du monde végétal, au niveau des polypes » (p. 32). Le visage devient un morceau de chair qui existe tout seul, chair pauvre de Madeleine (p. 35), rose et saignante de Roquentin (p. 33), chair « bouffie, baveuse, vaguement obscène » de Parrottin (p. 129). Seul un trucage peut alors donner au visage une apparente fermeté : si on le regarde de près, il devient « une carte géologique en relief » (p. 33) ; un peintre peut opérer sur la représentation d'un visage des « dragages, forages et irrigations » (p. 129) qui lui prêtent la consistance d'un paysage industriel. De la même façon, la passion peut « minéraliser », et l'expérience « empailler » : tout durcissement est un effort vers l'artifice. A l'état de nature, il n'est que de la chair, élément hybride où la matière a perdu sa forme. Le dernier stade de cette transformation est l'engluement de la conscience même, le moment où Roquentin se sent « exister » : « La Chose, c'est moi » (p. 141). Roquentin se réduit à la conscience de son corps : « Il y a de l'eau mousseuse dans ma bouche (...) Et cette mare, c'est encore moi. Et la langue. Et la gorge, c'est moi. » La pensée même est un liquide fade que le texte, par contiguïté, associe à du sang (p. 143). De telles images servent à « dégonfler les idéalismes et réduire l'homme à de la matière ».

« Les choses se sont délivrées de leurs noms » (p. 177).

Le même bouleversement des catégories de l'animé et de l'inanimé donne de la vie aux objets. Roquentin part d'une expérience simple : « Les objets, cela ne devrait pas *toucher*, puisque cela ne vit pas. On s'en sert, on les remet en place, on vit au milieu d'eux : ils sont utiles, rien de plus. Et moi, ils me touchent, c'est insupportable » (p. 24). L'analyse, à la fin du texte, vient confirmer cette impression.

L'homme maîtrise les choses de plusieurs manières. D'abord, il voit en elles des ustensiles : la banquette, « ils l'ont faite tout exprès pour qu'on puisse s'asseoir » (p. 176). Puis, en les nommant, ils les ont rangées dans des catégories abstraites, ils ont déterminé leur appartenance à des classes (p. 179). Ils ont cherché à établir entre elles des relations : mesures, quantités, directions (pp. 180-181). Et ils ont cru qu'elles obéissaient aux lois immuables qu'ils avaient inventées pour se rassurer (p. 221) : ils ont domestiqué les choses.

Mais les choses opposent à cette entreprise une « résistance passive » (p. 183) : « Les mots s'étaient évanouis et, avec eux, la signification des choses, leurs modes d'emploi » (p. 179). Elles refusent de se laisser fixer : toute crise de Nausée commence par une impression de flottement. Tout flotte : les hommes (p. 79), Madeleine (p. 35), St Denis (p. 112), Roquentin sur un âne mort au fil de l'eau (p. 177); les choses tournent en même temps que Roquentin (p. 175). Le flottement est la manifestation sensible de la contingence : « La contingence n'est pas un faux-semblant, une apparence qu'on peut dissiper; c'est l'absolu (...) Quand il arrive qu'on s'en rende compte, ça vous tourne le cœur et tout se met à flotter (...) : voilà la Nausée » (p. 185).

Les choses refusent aussi de se laisser utiliser et toucher : sans agressivité aucune, il leur suffit de paraître vivantes pour susciter la répulsion qui les protège de l'entreprise humaine. Enfin, les choses échappent à la nomination : les bretelles ne sont ni bleues ni violettes, la racine n'est pas vraiment noire : dès qu'on veut les saisir, les qualités des choses paraissent « louches » : elles ne sont jamais elles-mêmes et rien qu'elles-mêmes. Comme le veut la théorie des correspondances, elles débordent les unes sur les autres.

Échappant aux cadres rationnels où l'homme peut les enserrer, les choses s'animent vaguement. Comme l'homme, elles passent par l'intermédiaire de l'animal : le vent est une mouche, la racine un phoque ou un serpent, ou une griffe de vautour, la banquette un mille-pattes, ou bien un ventre d'âne mort. Elles ont des sentiments, généralement de la sournoiserie : les bretelles ont de la fausse humilité et un entêtement de moutons (p. 177). Cependant, elles adressent ainsi des signes de connivence à l'homme, elles « sourient » mystérieusement : c'est ce que fait le jardin public un dimanche, et, de nouveau, le jour de la grande crise de Nausée. Elles font un effort pour accéder à la pensée sans y parvenir : « Les choses, on aurait dit des pensées qui s'arrêtaient en route, qui s'oubliaient, qui oubliaient ce qu'elles avaient voulu penser et qui restaient comme ça, ballottantes, avec un drôle de petit sens qui les dépassait » (p. 190).

FANTASTIQUE ET PHÉNOMÉNOLOGIE

Avec moins de réticence encore que pour Blanchot, Sartre a découvert dans *Le parti pris des choses*, de Ponge, une entreprise qu'on peut croire analogue à la sienne, à la façon dont il la commente en 1944 *(Situations I)*. Il voit dans ces poèmes en prose « l'axiome qui est à l'origine de toute la phénoménologie : « Aux choses mêmes » (p. 263), et une tentative pour montrer la fusion de la conscience et de l'objet dans la perception.

« Dégrader l'humain ».

Selon Sartre, Ponge décrit les hommes comme les choses, - un trapéziste comme un ver, une femme enceinte comme de la chair brute -, et les choses comme les hommes, pour mieux déshumaniser l'homme : « Il abaisse l'un pendant qu'il élève les autres » (p. 282). C'est une entreprise matérialiste : « Loin qu'il y ait ici humanisation du galet, il y a déshumanisation, poussée jusqu'aux sentiments, de l'homme [1]. » Or dans *La nausée*, bien qu'il refuse plus tard de choisir entre matérialisme et idéalisme, Sartre agit de la même façon. C'est particulièrement sensible dans deux passages : dans le tramway (p. 177), Roquentin se tourne vers un voyageur : celui-ci a l'air d'être en terre cuite; puis sa main se met à exister pour son compte, comme « un chancre ». Et son doigt gratte le cuir chevelu : « L'ongle gratte, gratte. » Or, plus loin, la même expression désigne le marronnier : « Un arbre gratte la terre sous mes pieds d'un ongle noir. » Assimilé, par contiguïté, à la racine, l'homme en paraît encore plus dégradé. Ensuite, la scène où Roquentin imagine la fin du monde à Bouville supprime toute différence entre les règnes naturels. La chair humaine se développe de manière anarchique; mais c'est toujours elle qui fait l'objet des transformations. Et l'invocation de Roquentin aux hommes précise encore le sens de la scène : elle montre l'impuissance de la science et de l'humanisme à cerner l'existence.

« Voir le monde avec les yeux du galet ».

Si les choses sont « comme des pensées empâtées par leurs propres objets [2] », observation et description ne servent à rien. L'observateur peut prendre des mesures, décrire des qualités, rendre exactement l'apparence des objets, sans jamais atteindre son être. Sartre a renouvelé au cours des années une expérience qui met en cause toute la littérature dite réaliste : tout part d'un conseil donné par le grand-père à l'apprenti-écrivain Jean-Paul, que Sartre rapporte dans *Les mots* : « Sais-tu ce que faisait Flaubert quand Maupassant était petit ? Il l'installait devant un arbre et lui donnait deux heures pour le décrire » (p. 132). Or Jean-Paul a modifié

1. *Situations I*, p. 269. 2. *Ibid.*, p. 261.

les conseils : il a cherché à « prendre les choses, vivantes, au piège des phrases ». Il s'installe devant un platane, mais « je ne l'observais pas, au contraire, je faisais confiance au vide, j'attendais ; au bout d'un moment, son vrai feuillage surgissait sous l'aspect d'un simple adjectif » (p. 151). Cependant, Sartre n'est pas encore satisfait de cet idéalisme de l'enfant qui impose des noms. Il exprime son insatisfaction dans une lettre à S. de Beauvoir : « J'ai été voir un arbre. Pour cela, il suffit de pousser la grille d'un beau square sur l'avenue Foch, et de choisir sa victime et une chaise. Puis de contempler (...) Au bout de vingt minutes, ayant épuisé l'arsenal de comparaisons destinées à faire de cet arbre (...) autre chose que ce qu'il est, je suis parti avec une bonne conscience [1]... » Et en effet, la racine dans *La nausée* est l'objet de plusieurs métaphores, dont aucune ne satisfait l'auteur : « Serpent, griffe, serre de vautour : peu importe. » On lui attribue plusieurs qualités qui s'excluent : c'est tantôt une masse molle et nue, tantôt une peau dure et compacte : aucune description ne peut en rendre compte, puisque la racine a perdu son nom. Dans ces conditions, l'attitude de l'écrivain devant l'objet n'est pas scientifique, mais contemplative : « Il s'agit moins d'observer le galet que de s'installer en son cœur et de voir le monde avec ses yeux » (*Situations I*, p. 263).

Une forme de description phénoménologique.

Au moment où Sartre commence ce qui devait devenir *La nausée*, il ne connaît pas encore la phénoménologie. Il achève le manuscrit à Berlin, où il est allé pour mieux étudier Husserl. Avant *La phénoménologie de la perception* de Merleau-Ponty, avant de connaître Heidegger et Kierkegaard, Sartre pratique une forme de description phénoménologique. Roquentin met « entre parenthèses » tout jugement scientifique sur le monde : il néglige la fonction de « pompe aspirante » de la racine. Il refuse de séparer le regard de la chose perçue : « Le marronnier se pressait contre mes yeux », « Le petit bruit d'eau de la Fontaine Masqueret se coulait dans mes oreilles et s'y faisait un nid. » La conscience de Roquentin

1. SIMONE DE BEAUVOIR, *La force des choses*, Gallimard, 1963, p. 111.

n'existe que dans son mouvement vers la chose : « J'étais la racine de marronnier. »

Cependant, une autre idée, qui n'appartient qu'à Sartre, donne à ses descriptions leur individualité. Bien qu'il n'ait pas encore élaboré sa théorie de l'En-soi et du Pour-soi, certains passages de *La nausée* semblent l'annoncer. « Le désir de chacun de nous est d'exister *avec sa conscience* sur le mode d'être de la chose ». Bien sûr, cette fusion réelle est impossible. Mais un texte littéraire peut en donner l'illusion, comme le fait Ponge selon Sartre : il suffirait d'amener le lecteur « à douter si la matière n'est pas animée et si les mots de l'âme ne sont pas des tremblements de la matière [1] ». Il faudrait créer « un papillottement d'intériorité et d'extériorité », et faire « osciller de l'une à l'autre avec une très grande vitesse [2] ». Ce que Ponge fait systématiquement, Sartre l'ébauche dans *La nausée :* la structure même du livre montre une alternance entre le détachement de Roquentin et sa fusion avec les choses. Et dans chaque passage « fantastique », « l'intériorité des choses » émerge dans le texte : un grand logement de briques jaunes « s'avance en hésitant »; une petite ligne noire court « d'un air mystérieux et espiègle ». Seulement, cette existence n'a pas d'individualité : « ça existe », « ça court ». L'ensemble de *La nausée* décrit l'aventure de Roquentin parmi les choses, mais c'est bien lui qui garde le devant de la scène, et qui reste la conscience centrale, autour de laquelle s'organise tout le texte.

1. *Situations I*, p. 286. 2. *Ibid.*, p. 288.

« Une conscience de... » : le narrateur 5

Dans *La nausée*, un passage fait penser à la technique romanesque que Sartre utilisera dans *Le sursis* : le dimanche soir, Roquentin s'exalte et s'exprime comme un héros de roman : ce vif sentiment d'aventure lui rend toute la richesse de l'univers et il évoque ce qui se passe en cet instant dans divers endroits du monde, dans un style proche de l'unanimisme (p. 83). Mais Sartre n'en est pas encore à « faire entrer dans les consciences comme dans un moulin [1] »; il n'a pas encore élaboré sa technique de « la relativité généralisée ». *La nausée* reste centrée autour d'un personnage qui tient lieu de narrateur, et témoigne de l'individualisme de l'auteur, que le bouleversement de la guerre n'a pas encore ébranlé. Il n'expose que des représentations subjectives attribuées à un « personnage » unique, c'est bien un exemple de « ce réalisme subjectiviste » que Sartre présente tout en le condamnant [2].

Cependant, même si, le narrateur et le personnage se confondant, le point de vue sur les choses est unique, le langage de Roquentin est envahi par le langage d'autrui. Ensuite, il arrive que le personnage et le narrateur se différencient, et que l'auteur semble parler en son nom propre. Enfin, Sartre paraît parfois utiliser son personnage pour mettre en pratique ses idées exposées dans *La transcendance de l'ego* : le moi se distingue de la conscience, il peut être « mis entre parenthèses », c'est une réalité seconde par rapport à la conscience.

---

1. *Qu'est-ce que la littérature?* p. 371. 2. *Ibid.*, p. 200.

POINT DE VUE
DU SUJET ET LANGAGES D'AUTRUI

Contrairement à celle de Joyce dans *Ulysse*, la technique narrative dans *La nausée* tend à tout interpréter d'un point de vue unique. Mais même si le « je » du récit désigne toujours le même personnage, ce « je » ne parle pas toujours le même langage : le langage d'autrui se glisse dans le sien, qui devient une mosaïque de langages divers, une *polyphonie*.

Le monologue intérieur raconté.

Dans *Qu'est-ce que la littérature?*, Sartre critique le monologue intérieur : il ne peut pas transcrire directement, tel quel, le flux de la conscience. Il ne peut que le « représenter », en le stylisant : « En littérature, où l'on use de signes, il ne faut user *que* de signes ; et si la *réalité* que l'on veut signifier est un *mot*, il faut la livrer au lecteur par d'autres mots [1]. » Tout monologue intérieur, si désarticulé qu'il soit, repose sur un trucage.

• *La stylisation du monologue intérieur*

C'est pourquoi *La nausée*, dont une grande partie représente le courant de conscience de Roquentin, multiplie toutes les marques visibles de stylisation. Que le lecteur ne s'y trompe pas : le livre ne triche pas, il ne donne pas pour réel ce qui n'est que représenté. Le récit apparaît donc sous la forme d'un journal, ce qui justifie la formulation écrite des paroles intérieures.

Certains passages, pourtant, sont des sortes de fragments de monologue intérieur (p. 142, pp. 144 et 145). Or le premier porte des marques nettes de sa représentation : il est entre guillemets : « Et puis il y a les mots, au-dedans des pensées, les mots inachevés, les ébauches de phrase qui reviennent tout le temps : " Il faut que je fini... J'ex... Mort... " » (p. 142). Le second passage, à la page suivante, n'a plus de guillemets, et les mots ne sont pas déformés. Seules les phrases sont parfois inachevées. Si Roquentin avait utilisé les procédés du premier passage tout au long du second, le texte

---

1. *Qu'est-ce que la littérature?* p. 200.

aurait été fastidieux. Mais il a donné d'abord un petit échantillon de ce que pouvait être une transcription approximative d'un courant de conscience, pour se permettre de le styliser plus librement ensuite, de ne conserver, de la ratiocination, que des répétitions, des retours de rythme, des ruptures syntaxiques. Ainsi annoncé par une phrase d'introduction, ce fragment de monologue intérieur est bien isolé de l'ensemble : il fonctionne comme un pastiche, inséré consciemment par le narrateur.

• L'histoire d'une rédaction

Comme pour mieux rappeler sa présence dans le récit, Roquentin juge souvent ce qu'il vient d'écrire : « Je viens de remplir dix pages et je n'ai pas dit la vérité » (p. 22). « Comment ai-je pu écrire, hier, cette phrase absurde et pompeuse ? » (p. 84). Ou bien il justifie son récit : il veut « tenir un journal pour y voir clair » (p. 11). Après la révélation de la Nausée, écrire reste la seule chose à faire (p. 241). Après le drame qu'a vécu l'Autodidacte, Roquentin écrit pour étouffer des remords (p. 224). Le texte comprend donc des bribes de sa propre histoire, il renvoie souvent au sujet qui est censé l'avoir dit. La narration est située avec précision dans le temps et dans l'espace, tout à l'opposé des romans « objectifs », où les marques du narrateur sont aussi effacées que possible, parce qu'il tient la place d'un Dieu omniscient. Sauf dans l' « Avertissement » et les « notes » des éditeurs, les conventions du récit subjectif sont toujours respectées. Du narrateur, nous ne savons rien que ce qu'il nous dit de lui-même. Son « être-pour-autrui », la façon dont les autres le voient ne nous parviennent qu'à travers lui : pour Anny, il est un grand rouquin maladroit ; pour l'Autodidacte, un homme « chez qui l'ampleur des vues se joint à la pénétration de l'intelligence » ; pour le couple du Musée, un « rouspéteur » ; et pour la patronne du café, « Monsieur Antoine ». Et nous ne percevons les autres subjectivités qu'à travers l'écran de ses humeurs. La technique de *La nausée* est donc simple en apparence : c'est celle du « réalisme subjectif », avec un point de vue unique/et un narrateur unique.

Cependant, *La nausée* n'a pas la simplicité d'un récit subjectif ordinaire. Le narrateur, conscience vacante et malléable, a une imagination de romancier. A tort ou à raison, il reconstitue la subjectivité d'autrui et se la donne en spectacle. Ainsi, les indications scéniques qui accompagnent le dialogue de la brasserie Vézelize sont déjà des interprétations psychologiques : « Il est si satisfait qu'il paraît avoir oublié ce qu'il voulait dire » (p. 75). Même engagé dans un dialogue, et non plus spectateur, Roquentin devine ce qui se passe chez le partenaire et commente ses paroles, explique les émotions qui les accompagnent ou les justifient. Par exemple, Anny vient de poser brusquement une question, et il voit dans cette brutalité « à la fois un intérêt sincère et le désir d'en finir au plus vite » (p. 197). Ou bien il devine si bien l'Autodidacte qu'il devance ses paroles : « Ce vieux monsieur (...)?, c'est l'Homme mûr, je suppose, que vous aimez en lui (...)? - Exactement, me dit-il avec défi » (p. 170). Cependant, ces interprétations restent conjecturales : ce sont les témoignages, forcément relatifs, d'un spectateur ou d'un acteur parmi d'autres, seulement plus disponible, curieux et clairvoyant que les autres.

Mais il arrive aussi que Roquentin prenne avec les êtres qu'il décrit l'attitude que Sartre reproche à Mauriac [1] : il les juge. Comme Dieu, il donne ou retire les mérites. C'est ainsi qu'il dépeint Lucie comme une héroïne tragique, enfermée dans un destin. Il lui attribue des qualités morales, il montre la fatalité qui la conduit à ce déchaînement de passion : « Non, ce n'est pas en elle qu'elle puise la force de tant souffrir. Ça lui vient du dehors » (p. 46). Roquentin semble jouer ici au romancier qui s'exerce aux styles les plus divers.

Le même talent lui permet d'imaginer les discours intérieurs des autres personnages. Tantôt, ces discours intérieurs apparaissent comme seulement probables : « Peut-être M. Achille n'a-t-il pas la conscience très tranquille. » (p. 102). Tantôt, ils sont simplement présentés entre guillemets, comme des fragments de monologue intérieur : après ce scandale, l'Autodidacte pense : « Mon Dieu, si je n'avais

---

1. *Situations I :* « M. François Mauriac et la liberté », pp. 17 et 18.

pas fait ça » (p. 238). Tantôt, les guillemets sont supprimés ; c'est le discours indirect libre. Voici, par exemple, comment est amené le discours intérieur de M. Achille : « M. Achille (...) boit son Byrrh à petites gorgées en gonflant ses joues. Eh bien, le docteur a su le prendre Ce n'est pas le docteur qui se laisserait fasciner par un vieux toqué sur le point d'avoir sa crise » (p. 100). La première phrase est une description objective du personnage ; la seconde, sans transition, est la transposition à la troisième personne du discours intérieur qui accompagne la mimique décrite.

Ce procédé est souvent utilisé pour faire un portrait : Roquentin adopte le langage d'un personnage pour le dépeindre. Mais, dans ce cas, il ne s'agit pas de présenter le sentiment le plus intime que chacun a de lui-même. Au contraire, Roquentin les imagine comme eux-mêmes voudraient qu'on les voie. Le langage utilisé est alors une parole socialisée, celle des oraisons funèbres ou des notices nécrologiques pour Jean Pacôme (p. 122), des récits hagiographiques dans la longue litanie aux chefs de Bouville (pp. 134-135), des biographies apologétiques pour Rémy Parrottin. L'opposition entre cette parole socialisée et une parole plus intime est particulièrement nette dans le portrait du Docteur Rogé : « Le docteur (...) voudrait se masquer l'insoutenable réalité » : cette phrase exprime une pensée informulée du docteur ; les autres traduisent au contraire un discours intérieur : « Il se dit qu'il progresse » (p. 103).

Souvent une telle présentation de la pensée d'autrui a une valeur ironique : Roquentin commence par décrire l'humaniste dans des termes péjoratifs : « Il a digéré l'anti-intellectualisme » et d'autres doctrines : « Ce ne sont plus que des étapes, des pensées incomplètes... » (p. 167). Le mot « digéré » a marqué une distanciation entre le langage de Roquentin et celui de l'humaniste. Tout le paragraphe suivant, si fidèle qu'il soit aux expressions des humanistes, prend alors un sens ironique.

AUTEUR ET NARRATEUR

Un passage des *Mots* montre bien les relations qu'entretiennent l'auteur et le narrateur de *La nausée* : « *J'étais* Roquentin, je montrais en lui, sans complaisance, la trame de ma vie ; en même temps j'étais *moi*, l'élu, annaliste des enfers, photo-microscope de verre et d'acier penché sur mes propres sirops protoplasmiques [1]. » Conçu d'abord comme un personnage de roman distant de son auteur, Roquentin tend à s'en rapprocher de plus en plus. Et, sans qu'on puisse l'affirmer, tout se passe comme si l'auteur avait, après coup, multiplié les signes de distanciation pour mieux éloigner de lui son double.

Le mimétisme du narrateur.

Au début, le langage de Roquentin semble nettement distinct de celui de l'auteur. C'est un langage un peu incohérent, un mélange de familiarité vulgaire et de dignité professionnelle. Lorsqu'il est question des nécessités quotidiennes, il adopte le langage des garçons de café et des voyageurs de commerce qui l'entourent, à la fois sérieux et négligé : « Le monsieur de Rouen » « peut encore s'amener » ; ou bien : « Quand je l'ai entendu monter l'escalier, ça m'a donné un petit coup au cœur » (p. 13). L'expression est ici simplement vulgaire ou plate ; c'est celle d'un homme qui n'a pas d'autre souci que de s'assurer la tranquillité pour la nuit. Deux pages plus loin, le langage garde le même sérieux, mais acquiert une sorte de solennité. Roquentin hésite entre « ça » et « cela ». Il a un sentiment étonnant, pour un déclassé, des habitudes de sa corporation : « Dans notre partie, nous n'avons affaire qu'à des sentiments entiers » (p. 15). Cette suffisance professionnelle subsiste encore page 18, quand il parle de nouveau de son travail, mais il n'en sera plus question par la suite.

Car le langage de Roquentin perd peu à peu de cette individualité. Lorsqu'il n'adopte pas le langage des autres personnages, lorsqu'il ne pastiche pas les conventions d'un genre littéraire ou d'un type d'écriture romanesque, il écrit non pas comme Céline [2], mais comme s'expriment Sartre

1. SARTRE, *Les mots*, p. 210.
2. *La force des choses*, p. 142.

et ses amis d'après le témoignage de S. de Beauvoir. Par exemple, certaines de ses expressions, « en douce », « à contre-cœur », sont également fréquentes dans *La force de l'âge*. Certaines familiarités de la fin sont celles, codifiées et limitées, que se permettaient les intellectuels de gauche pour libérer leur langage de sa correction humaniste : « ce type », « un drôle de », « ce truc-là ».

Dans certains passages, Roquentin semble disparaître tout à fait au profit de l'auteur : au milieu d'une scène à laquelle Roquentin participe, plus ou moins spectateur ou acteur, il lui arrive d'oublier les circonstances où il se trouve pour faire la satire de tel ou tel groupe social. Ainsi, pendant les deux pages où Roquentin polémique contre les « professionnels de l'expérience » (pp. 100-102), il n'est question qu'à la première et à la dernière ligne du prétexte de cette digression, Monsieur Achille. Ou bien il oublie l'Autodidacte pour faire le portrait-type des humanistes (p. 165). Enfin, quand Roquentin analyse la fascination produite par la racine ou les relations entre le moi et la conscience, il utilise le vocabulaire et les expressions du professeur de philosophie : « Je pensais l'*appartenance* » (p. 179), « par définition, l'existence n'est pas la nécessité » (p. 184), « il y a connaissance de la conscience » (p. 238). Sartre et Roquentin semblent donc souvent confondus.

Les marques de distanciation.

Comme pour compenser cette fusion, des signes de distanciation semblent surajoutés au texte. L'Avertissement, les notes des éditeurs et les ratures du manuscrit, au début, ont plusieurs fonctions. Ils parodient le style de certains romans du XVIIIe et du XIXe siècles, *Manon Lescaut* ou *Dominique*, qui tendent à présenter le texte comme un document brut ; ce sont, dans ce type de roman, des marques de vrai. Dans *La nausée*, c'est le contraire : sans cette précaution, le journal de Roquentin aurait pu ressembler à celui d'un jeune intellectuel. Un tel Avertissement n'est qu'un déguisement de plus : sans croire à la prétendue découverte des cahiers de Roquentin par les éditeurs, nous pensons au contraire qu'il s'agit d'un roman, puisqu'on utilise pour présenter le texte une convention romanesque. Au XXe siècle, une telle convention est devenue une preuve de romanesque.

L'ambiguïté de la fin sert également à établir une distanciation. Beaucoup de romans du XXe siècle annoncent leur propre rédaction : à la fin de *A la recherche du temps perdu*, le narrateur décide d'écrire le livre que nous avons sous les yeux; la rédaction du livre est censée se placer après cette fin. Dans *La nausée*, au contraire, le livre projeté sera forcément différent du journal de Roquentin : ce sera un roman, racontant une aventure « belle et dure comme de l'acier », « quelque chose qui n'existerait pas ». Rien n'indique le contenu de ce roman, rien ne prouve qu'il soit fait du passé de Roquentin. Car les dernières phrases : « Alors peut-être que je pourrais, à travers lui, me rappeler ma vie sans répugnance », sont très ambiguës. Mais rien ne prouve le contraire non plus. En poursuivant la fiction du livre, on pourrait imaginer, par exemple, que Roquentin a tout simplement récrit son journal pour en faire un roman, en y ajoutant ces marques de fiction que sont l'Avertissement et les notes des éditeurs. Tout cela contribue à brouiller les cartes, comme si l'auteur maintenait entre son personnage et lui distances et ressemblances.

ROQUENTIN : UN PERSONNAGE EXPÉRIMENTAL

Narrateur qui prête sa voix aux personnages ou à son auteur, Roquentin est un héros de roman bien singulier : l'univers romanesque où il évolue porte certaines marques de réalisme : il est composé d'une société complète et organisée, et d'un cadre matériel précis. Roquentin, au contraire, est un personnage réaliste qu'on aurait amputé de sa situation sociale et de son passé, pour pouvoir mieux exposer, grâce à lui, les rapports de la conscience et du moi. A la fois dans la manière dont le personnage est conçu et dans le contenu de ses méditations, on peut voir en Roquentin la mise en forme romanesque d'une thèse en cours d'élaboration : à l'époque où Sartre terminait *La nausée*, il découvrait Husserl, et il écrivait - en 1934, semble-t-il - un essai sur *La transcendance de l'ego* [1]. Tout en affirmant, dans une perspective phénoménologique, que toute conscience est conscience

1. Paru dans *Recherches philosophiques* en 1936.

d'un objet, il se sépare de Husserl en distinguant la conscience et le moi. Selon Sartre, la conscience est d'abord irréfléchie et impersonnelle. La formule qui l'exprime le mieux n'est pas le « je pense » cartésien, qui est un acte de réflexion, mais « il y a pensée de ». Le Je « n'apparaît jamais qu'à l'occasion d'un acte réflexif [1] ». Par ailleurs, étant un objet de la conscience, il est, comme tout objet du monde, susceptible d'être « mis entre parenthèses », alors que cette réduction est impossible sur la conscience.

D'autre part, certaines analyses développées dans *L'être et le néant*, celles qui concernent l'être-pour-autrui, l'esprit de sérieux, la mauvaise foi, la corporéité, le désir, aident aussi à dégager les principes qui ont permis d'élaborer le personnage de Roquentin, la mise en forme romanesque précédant, cette fois, la systématisation philosophique.

• *Roquentin, une conscience « vide et calme »*

Sartre refuse la notion de « vie intérieure », parce que « les doutes, les remords, les prétendues " crises de conscience ", etc., bref toute la matière des journaux intimes deviennent de simples *représentations* [2] ». De même Roquentin ne veut pas « de secrets, ni d'états d'âme, ni d'indicible » : « Je ne suis ni vierge ni prêtre, pour jouer à la vie intérieure » (p. 23). On ne trouve donc pas, dans *La nausée*, les ruses des auteurs de journaux intimes qui fabriquent le moi qu'ils observent, qui se cachent en s'exhibant, ou s'accusent pour mieux se vanter. Il n'y a pas à chercher, au-delà des paroles de Roquentin, un moi qui se dérobe à nos regards ou aux siens. Il échappe à la psychologie des profondeurs.

• *Un personnage sans passé*

Sartre ne prend pas encore la psychanalyse au sérieux. C'est pourquoi Roquentin n'a pas d'inconscient ni de passé : ses deux rêves sont des provocations et non des clés d'explication. Son seul souvenir d'enfance concerne un indifférent, un vieux gardien de square, et il ressemble plus à une aventure intellectuelle qu'à un traumatisme affectif (p. 22). Ses

1. SARTRE, *La transcendance de l'ego*, Vrin, 1966, p. 36.
2. *La transcendance de l'ego*, p. 75. Voir aussi *La force de l'âge*, p. 194.

autres souvenirs se réduisent à des images ou à des noms exotiques. « Épave sans mémoire », Roquentin n'a aucune épaisseur de passé : « Jamais je n'ai eu si fort qu'aujourd'hui le sentiment d'être sans dimensions secrètes, limité à mon corps, aux pensées légères qui montent de lui comme des bulles » (p. 54). Car les souvenirs sont liés à la possession des objets; le passé est « un luxe de propriétaire » : « On ne met pas son passé dans sa poche; il faut avoir une maison pour l'y ranger. Je ne possède que mon corps » (p. 97), et le corps est sans mémoire. Roquentin est une conscience vide réduite à son seul présent.

• Un personnage sans affectivité

D'où une certaine « discrétion morale » du personnage. Sans doute éprouve-t-il des émotions que le lecteur pourrait nommer : c'est le désir d'Anny, la peur de la solitude. Mais elles sont notées sèchement, comme des faits sans importance. Roquentin n'a pas de ces « sentiments entiers sur lesquels on met des noms génériques » (p. 15) et, comme Anny, il ne croit plus à leur existence : « Je croyais que la haine, l'amour ou la mort descendaient sur nous, comme des langues de feu du Vendredi saint (...) Quelle erreur! » (p. 210). Avant que Camus écrive *L'étranger*, Sartre présente un personnage indifférent, souvent « vide et sec », ou « vide et calme ».

C'est pourquoi il est décrit dès le début comme dépouillé de tout lien affectif. Il est toujours l'exclu volontaire de toute émotion collective. Ainsi, tenté par le bonheur d'une promenade dominicale, il prend ses distances : « Je me demandai, un instant, si je n'allais pas aimer les hommes. Mais, après tout, c'était leur dimanche et non le mien » (p. 81). Il est le tiers exclu de tous les couples, que ce soient les amoureux des brasseries, l'exhibitionniste et la petite fille, les couples anonymes qui ont, chez Camille, une salle réservée : « Je n'y suis jamais entré; elle est pour les couples » (p. 92), Anny et l'Allemand à qui il cède la place, Anny et l'Égyptien qui le laissent seul sur un quai de gare. Les étapes de *La nausée* sont celles d'un dépouillement progressif, qui laisse Roquentin libre et vide comme un mort, sans qu'aucune de ces ruptures soit vécue comme telle. Même la dernière rencontre avec Anny n'est pas décrite sur le mode sentimental : nous ne pouvons que déduire l'émotion de Roquentin, à travers une expression très pudique : « Ses mains à elle ne tremblent pas ». Lui n'affirme que son inertie : « J'avais dans le cœur des envies simples et vulgaires (...) Aujourd'hui, je n'ai aucune envie » (p. 194). Sans passé ni affectivité, Roquentin échappe à toute analyse, à toute psychologie des passions. Sartre veut faire de lui non un objet d'étude, mais un sujet, non un moi qu'on pourrait décrire, mais une conscience vide toujours tournée vers le dehors.

Roquentin, sujet abstrait d'expériences métaphysiques.

Roquentin semble perdre, au cours du texte, les caractéristiques individuelles de son moi. Finalement, quand il dit « je », il emploie une forme vide, un sujet purement grammatical. C'est le « je » abstrait qu'utilisent les philosophes, de Descartes à Husserl, pour décrire l'activité d'une conscience pure. Trois expériences vécues par Roquentin permettent à Sartre de différencier le moi de la conscience. Toutes trois sont vécues par un personnage en situation, mais les circonstances importent peu : ce sont des expériences que chacun peut faire et qui ne dépendent d'aucune condition particulière. La première expérience est celle du miroir : Roquentin regarde son visage dans la glace et ne le reconnaît pas : « Ceux des autres ont un sens. Pas le mien » (p. 32). Il ne peut pas se voir comme les autres le voient, toute contemplation de lui-même le mène au vertige et au sommeil : « Tel quel, le moi nous reste inconnu [1]. »

La seconde expérience semble donner au moi un contenu. M. de Rollebon avait donné à Roquentin une raison de vivre ; lorsqu'il ne peut plus écrire son livre, Roquentin découvre le sentiment d'exister : « La Chose, c'est moi (...) l'eau mousseuse dans ma bouche (...) c'est moi (...). Et la gorge, c'est moi (...) Je sens ma main. C'est moi (...) Ma pensée, c'est moi » (pp. 141-142). Deux conclusions s'imposent, conformes aux thèses de La transcendance de l'ego : d'une part, le moi de la pensée et le moi du corps ne font qu'un. D'autre part, ce moi n'apparaît que dans une expérience de vacuité et de

1. SARTRE, *La transcendance de l'ego*, p. 68.

réflexion : quand Roquentin était occupé par son livre à faire, il n'avait pas conscience de son moi, mais seulement des objets que se donnait sa conscience.

A cette expérience, on pourrait rattacher un autre passage, qui n'apporte aucune découverte, mais une nouvelle forme d'expression. Dans l'ensemble du texte, Roquentin exprime sa pensée directement. La dernière après-midi qu'il passe à Bouville, il la présente entre guillemets, précédée cinq fois de l'expression « je pensai ». Ce passage sert simplement à montrer que lorsque, dans le reste du texte, Roquentin dit « je », c'est un « je » purement formel, et non un acte de réflexion, et que, dans ces cas-là, sa conscience est impersonnelle.

Cela nous amène à la troisième expérience de Roquentin : au moment où il découvre que la ville même l'a quitté, qu'il est tombé dans un oubli total, il perd son moi : « A présent, quand je dis « je », ça me semble creux » (p. 236). Pendant deux pages, Sartre écrit alors une traduction phénoménologique d'un monologue intérieur, où le « je » disparaît, remplacé par « la conscience », ou même « une conscience » : « Il y a aussi conscience d'un visage » (p. 237). Cette conscience anonyme peut même être réflexive tout en restant impersonnelle : elle est « conscience, hélas! de la conscience ». Et le dédoublement, traduit précédemment par des guillemets précédés de « je pensai », peut s'exprimer de manière impersonnelle : « Il y a conscience d'une voix étouffée qui dit : « L'Autodidacte erre dans la ville » (p. 237). Donc, même dans le monologue intérieur, on peut mettre le « je » entre parenthèses, et même la conscience réfléchie peut être impersonnelle. Tandis que l'essai sur *La transcendance de l'ego* développe méthodiquement une thèse, *La nausée* présente de nouvelles formes d'expression qui nous dégagent des habitudes mentales imposées par le langage habituel. Ce sont des exercices de style destinés à prouver l'anonymat de la conscience, que masque d'ordinaire l'emploi grammatical du pronom personnel à la première personne. Tout le langage de Roquentin est donc expérimental.

« C'est une farce ! » 6

« C'est une farce ! », se dit Roquentin en parcourant des yeux la salle de restaurant où il déjeune avec l'Autodidacte et où les gens sont assis avec des airs sérieux (p. 158). L'univers lui apparaît tout à coup comme un spectacle grotesque qui le fait rire aux larmes. Et si, comme Roquentin, on porte sur *La nausée* ce regard qui refuse d'entrer dans le jeu, le texte apparaît tout à coup comme un énorme canular. Bien sûr, une telle interprétation serait elle-même un délire dirigé : l'œuvre et la vie de Sartre la démentent.

Pourtant, son goût pour les farces est lourdement souligné par S. de Beauvoir : c'est lui qui jouait le rôle de Lanson dans la revue annuelle de l'École Normale ; lui qui composait et chantait un motet sur un chapitre de Descartes : « De Dieu, derechef, qu'il existe ». Il aime jouer. Et cette volonté ludique imprègne tout dans *La nausée* : s'il trace l'image de ses lecteurs, ce sont des « portraits-contestation ». S'il voit dans l'activité de l'écrivain la seule manière de vivre pour lui, il se méfie des mots et refuse de les prendre tout à fait au sérieux. Les choses lui paraissent comiques, et l'activité de la conscience est toujours ironique. Enfin, sans pouvoir se détacher des modèles culturels parmi lesquels, clerc et petit-fils de clerc, il a vécu, il les ridiculise et les détourne de leur sens. La dérision est pour lui un procédé polémique, une habitude de pensée et un instrument de découverte.

LE BURLESQUE

Au sens propre, le burlesque est une parodie de l'épopée obtenue en transposant dans la vie bourgeoise des faits héroïques. Au sens plus large, est burlesque ce qui implique une rupture de ton, avec le sentiment d'une dégradation.

« Certaines situations de vaudeville » (p. 180).

A l'encontre d'une philosophie optimiste, qui verrait l'ordre et la raison dans la nature, à l'encontre de ce prêtre qui regarde la mer d'un air approbateur parce qu' « elle parle de Dieu », Roquentin n'y voit qu'un désordre cocasse : « Toutes ces somnolences » que sont les choses, « toutes ces digestions prises ensemble offraient un aspect vaguement comique. Comique... non : ça n'allait pas jusque-là (...). C'était comme une analogie flottante, presque insaisissable avec certaines situations de vaudeville » (p. 180) : aucun existant n'est à sa place. N'importe quoi, pour Anny comme pour Roquentin, peut détruire un « moment parfait », parce que tout est de trop, rien n'est comme il faudrait.

Effectivement, tous les personnages semblent maladroits : l'Autodidacte jette des pavés dans la conversation (p. 156); mais Roquentin aussi fait des gaffes. Bien plus, sa situation même est celle d'un personnage de vaudeville : il ne sait que faire de lui, on le chasse de partout. Anny souligne cette maladresse : il a l'air « d'un père qui vient de marier sa fille », il « se mouche comme un bourgeois », ses « satanés » cheveux roux « jurent avec tout ». Même transi de solitude, il est encore objet de moquerie : « Le pauvre! Il n'a pas de chance. Pour la première fois qu'il joue bien son rôle, on ne lui en sait aucun gré », dit Anny en soulignant l'ironie du sort qui le pousse à tout faire à contretemps.

Les choses aussi sont déplacées : « l'existence » survient toujours au mauvais moment, quand Roquentin a envie de jouer aux ricochets, ou qu'il se réjouit de ramasser un beau papier gras, ou en plein repas, lors de son unique invitation à Bouville. Et c'est sans doute pour souligner cette présence incongrue des choses que le texte abonde en détails apparemment inutiles : ce sont des marques non de réalisme, mais de contingence.

« Dégonfler les idéalismes ».

S. de Beauvoir dit de Sartre et de ses amis qu'ils « dégon-
flaient impitoyablement tous les idéalismes, ils tournaient
en dérision les belles âmes, les âmes nobles, toutes les âmes,
et les états d'âme, la vie intérieure, le merveilleux, le mystère,
les élites; en toute occasion - dans leurs propos, leurs attitudes, leurs plaisanteries - ils manifestaient que les hommes
n'étaient pas des esprits, mais des corps en proie au besoin,
et jetés dans une aventure brutale [1] ».

En effet, Roquentin cherche en toute occasion à souligner
les contradictions entre l'image que l'idéaliste a de lui-même
et la mesquinerie de sa conduite ou de ses mobiles réels.
Ainsi, le Docteur Rogé joue les hommes supérieurs, mais il
commet de menues lâchetés significatives; il tente de masquer
les désastres de la vieillesse en transformant ses souvenirs en
expérience, mais le sommeil qui l'engourdit révèle le vieil
homme (pp. 102-103). Autre exemple : le « petit dictionnaire
des Grands hommes de Bouville » montre en Octave Blévigne
l'homme d'ordre, énergique, actif et responsable; mais un
effet de trompe-l'œil dans son portrait et une indiscrétion du
Satirique bouvillois découvrent la vérité du grand homme :
il mesure 1,53 m. C'est l'un des procédés habituels de la
farce, qui consiste à démasquer les fanfaronnades.

Un autre procédé montre dans les dialogues d'un couple
une parade amoureuse. Ainsi, à la brasserie Vézelize, les
paroles des deux commerçants paraissent d'insignifiants
papotages; mais leurs rires et leur mimique révèlent le désir.
Un autre couple, dans un autre restaurant (pp. 156-157), semble
le double affadi du premier; les jeunes gens marivaudent
et jouent la comédie de la chasteté et de la décence. Mais le
rapprochement avec le premier couple aide à imaginer leur
avenir.

Dans tous les cas, il a suffi, pour « dégonfler les idéalismes », de montrer une contradiction entre des faits et des
mots. Or chaque fois que Roquentin veut montrer la vanité
de la littérature, il utilise le même procédé : le contraste entre
le réel et sa mise en mots ridiculise la littérature comme une
forme d'emphase. C'est le cas lorsqu'il écrit avec pompe :

1. SIMONE DE BEAUVOIR, *Mémoires d'une jeune fille rangée*, Gallimard, 1958,
p. 336.

« Je suis tout seul, mais je marche comme une troupe qui descend sur une ville » : la ville à prendre est le banal café Mably où il se rend tous les soirs. De même tous les compliments que fait l'Autodidacte sur « le bonheur » ou « le mérite » d'écrire, sur « les travaux et les recherches » de Roquentin soulignent l'inanité de ces activités.

Effets de sacrilège.

Lorsque l'idéalisme s'incarne dans une image culturelle, le procédé burlesque consiste à transporter dans un contexte trivial cette image sacralisée par la culture. C'est ainsi que l'Autodidacte présente l'image dégradée du héros tragique ou du martyr chrétien. Il a les gestes du héros tragique : « On dirait qu'il refuse les présents d'Artaxerxès » (p. 56). Ou bien il prend les attitudes d'un mystique en extase : « Les yeux mi-clos, la bouche entrouverte », il semble « recevoir les stigmates » (p. 164), et il rayonne comme dans les images pieuses : « Son visage est radieux comme une aurore » (p. 160).

Mais tous les traits qui l'assimilent à un martyr chrétien sont présentés de manière triviale. S'il semble entouré d'un « nimbe », c'est qu'il devient chauve : « Et le soleil se joue dans ses rares cheveux » (p. 149). S'il ressemble à l'Agneau mystique, c'est qu'il a « un air têtu de brebis » (p. 151). Il a l'esprit d'enfance des saints : sa collection de timbres a été le but de sa vie, et maintenant, il lit des livres illustrés à la bibliothèque en mangeant pour son goûter du pain et du chocolat. Enfin, lorsqu'il a le visage renversé du mystique, on peut voir « rouler dans sa bouche une masse sombre et rose » (p. 164); on s'aperçoit alors que l'ange a un corps, et même assez répugnant.

La scène de scandale à la bibliothèque a un effet plus ambigu : c'est bien une parodie de tragédie : au début, dans le calme de la bibliothèque, Roquentin sent « passer un souffle de cruauté »; puis, tout le monde attend à l'insu du héros, perdu dans son délire. Et une sorte de mécanisme se déroule que le narrateur ne peut empêcher. La fin du texte bascule tout entière dans le pathétique, mais le début est burlesque, parce que Roquentin voit dans « l'humble amour contemplatif » de l'Autodidacte « une forme d'humanisme », et que toute la scène paraît triviale, depuis les gamins ricanants, la vulgarité de la lectrice, la sottise du bibliothécaire, jusqu'à la laideur du doigt de l'Autodidacte. Il semble que, contrairement aux schémas habituels, Sartre commence par le burlesque, mais que, se piquant à son propre jeu, il finisse par prendre au sérieux son pastiche et par se laisser émouvoir.

De nombreuses petites chutes dans le trivial tournent en dérision des textes célèbres de la culture classique : il est étrange de voir les *Exercices spirituels* de Loyola mis en pratique par une actrice de mœurs légères. Le fameux cygne de Mallarmé devient un papier perdu englué dans la boue. L'Autodidacte a les ailes de géant et la maladresse de l'Albatros baudelairien. Et enfin, Roquentin est la Cassandre de Bouville.

Faire « descendre la métaphysique dans les cafés ».

Axelos dit que Sartre a fait « descendre la métaphysique dans les cafés ». C'était sans doute son intention : S. de Beauvoir nous dit son émotion lorsque, attablé devant un cocktail à l'abricot, Aron lui dit un jour : « Si tu es phénoménologue, tu peux parler de ce cocktail, et c'est de la philosophie [1] ! » Mais il entre aussi, dans la façon dont il réalise ce dessein, un peu de provocation et d'irrespect à l'égard des grands philosophes. Que l'on puisse faire des découvertes philosophiques dans un langage qui se voudrait célinien, voilà une leçon pour les philosophes de cabinet, à commencer par le bon élève Sartre, qui, dans la *Légende de la vérité*, gardait « un style faussement classique et guindé ».

C'est peut-être une des raisons pour lesquelles Roquentin est souvent trivial dans son expression, avec même, semble-t-il, une sorte d'affectation de vulgarité ou de mesquinerie. Quand il ne se surveille pas, son style est naturellement châtié : des imparfaits du subjonctif, des périodes oratoires, des termes abstraits et précis. Et au milieu de cela, une construction familière, un mot parfois vulgaire, surtout lorsqu'il s'agit de déconsidérer une notion de la philosophie classique : « Cette idée de passage, c'était encore une invention des hommes »; ou bien : « L'aventure ne se laisse pas mettre de rallonge », ou : « Autant vaudrait tenter d'attraper le temps par

1. *La force des choses*, p. 141.

la queue. » Cette familiarité, bien sûr, sert à décaper les idées, à les présenter comme neuves et spontanées, mais aussi à railler toute expression trop châtiée, qui réserverait la philosophie aux lettrés.

L'HUMOUR

La situation de Roquentin, en marge de la société, lui permet de porter sur les êtres « le regard étonné des consciences étrangères ». A Bouville, il est comme le Persan à Paris : sans habitudes et sans préjugés, il a la fausse naïveté de l'humoriste.

Le refus du sens.

Toujours spectateur, Roquentin refuse toute connivence avec autrui. Il lui arrive plusieurs fois de souligner ce refus avec ostentation par une phrase de ce type : « J'ai l'âge de m'attendrir sur la jeunesse des autres. Je ne m'attendris pas » (p. 152); « Le docteur rit (...) Je ne ris pas » (p. 99).

Il adopte cette attitude même avec ses amis : tout ému qu'il soit auprès d'Anny, il refuse d'entrer dans son jeu. Il montre en elle la comédienne : les masques se succèdent sur son visage, elle prononce une belle tirade. Puis « elle attend une réplique. Je ne dis rien » (p. 203). L'effet humoristique peut alors accompagner le burlesque : à la fin du repas, l'Autodidacte s'écrie : « Dans la plus insignifiante de nos actions (...), il y a une immensité d'héroïsme. » - « Et comme dessert, messieurs ? » dit la bonne (...) « Un fromage, dis-je avec héroïsme. » Et l'Autodidacte ne prend plus rien. Manger du fromage quand on a la Nausée, c'est bien un acte héroïque, mais sur le mode trivial. De plus, l'Autodidacte, le seul à croire à l'héroïsme, est celui qui s'en abstient, montrant ainsi, sans le savoir, une contradiction entre ses actes et ses paroles. Et enfin, le tout n'est compris que de Roquentin, qui, en même temps qu'il participe à la scène, l'observe du dehors.

Lorsqu'il voit les signes, gestes ou paroles, que se font les autres, il les dissocie de leur sens habituel, pour leur en donner un autre, ou leur refuser tout sens. Ainsi, décrits minutieusement dans leur matérialité, au ralenti, les gestes d'un couple qui salue paraissent déments : « Pendant qu'il soulève doucement son chapeau, en baissant un peu la tête pour aider à l'extraction, sa femme fait un petit saut en inscrivant sur son visage un sourire jeune » (p. 70). Souvent Roquentin observe une scène de loin, sans écouter les paroles, en notant seulement les mimiques qui semblent alors grotesques. Son regard peut aussi isoler un détail du corps humain, des mains, des pieds, une partie du visage; privés du sens que donne l'ensemble d'une attitude, ces détails révèlent une autre signification, inconsciente ou cachée.

Roquentin peut aussi traiter les paroles comme les gestes : lorsque Coffier et sa femme rencontrent le Docteur Lefrançois (p. 68), la suppression des guillemets et des tirets transforme le dialogue en un long verbiage anonyme : « Mais couvrez-vous donc, docteur, par ce froid vous prendriez mal. Mais le docteur se guérirait vite; hélas ! madame, ce sont les médecins qui sont les plus mal soignés; le docteur est un musicien remarquable » (p. 69). Quand, dans la conversation des joueurs de cartes, la forme dialoguée est respectée, l'attention que porte le narrateur à l'insignifiant réduit les paroles à du bruit.

Enfin, le procédé humoristique le plus classique consiste à substituer à un mot une définition partielle, qui attire l'attention sur l'aspect le moins visible de la chose. Ainsi, Roquentin décrit la messe sans prononcer le mot qui lui donnerait son sens de cérémonie religieuse, et elle devient une mascarade un peu louche : « A la clarté des cierges, un homme boit du vin devant des femmes à genoux » (p. 64). Ou bien, pour ridiculiser le respect qu'on éprouve dans un musée pour tout objet exposé, il remplace le mot « céramique » par une définition : « Un monsieur et une dame en deuil contemplaient respectueusement ces objets cuits » (p. 119).

Le pince-sans-rire.

Plus souvent encore, Roquentin va contre les idées et les sentiments admis sans paraître s'en apercevoir. Il a le flegme indispensable à ce genre de provocation, de façon qu'on ne puisse pas savoir s'il se moque ou non. Ainsi, après avoir exposé la subtile méthode qu'utilisait Anny pour rendre plus douloureuses leurs séparations, il conclut : « C'était du travail bien fait » (p. 86). Contrairement aux apparences, l'expression n'est pas ironique : il admire Anny de donner aux instants une telle intensité, même si elle est douloureuse. Mais ce faisant, il va contre l'opinion courante, qui voit dans l'attitude d'Anny un jeu morbide. De la même façon, il expose avec naturel les particularités de son goût pour les détritus (p. 23), tout comme un gourmet, dans une assemblée, détaille complaisamment les voluptés permises de la gastronomie, et il se désole, comme d'un symptôme fort inquiétant, de n'avoir pas pu ramasser un papier par terre; il renverse ainsi les distinctions généralement admises entre le normal et le pathologique.

Avec le même sérieux apparent, il peut aller contre les sentiments reçus, en décrivant froidement des visions à la fois horribles et bouffonnes, dans le style des journaux « bêtes et méchants » : à la devanture d'une charcuterie, une goutte de sang sur la mayonnaise d'un œuf à la russe évoque pour lui la face d'un homme qui saigne dans les plats (pp. 109-110); associant ainsi le sang humain au comestible, il suscite, comme sans s'en apercevoir, toute l'horreur qu'on peut avoir pour l'anthropophagie. Ailleurs, il se souvient d'un borgne rencontré à Meknès, puis, par association, d'un autre borgne à Bakou (p. 53). Aussitôt naît l'idée bouffonne que ces hommes n'ont qu'un œil pour deux, « qu'ils se passent à tour de rôle ». Et pour rendre l'image encore plus répugnante, il assimile cet œil unique à un fœtus, en une association sacrilège, puisqu'elle raille à la fois un mystère biologique et une infirmité. L'Apocalypse à Bouville mêle aussi l'horreur à la provocation dans l'humour noir. Provocation, parce que toutes ces horreurs arriveront à des pères et mères de famille. Humour, parce que tout ce qui se produit tient du jeu verbal : lorsque le corps est couvert de croûtes « qui s'épanouissent en fleurs de chair », l'image est horrible. Mais si on précise : « en violettes, en renoncules », on tombe dans une rassurante énumération botanique, qui ramène le tout au jeu verbal : il y en a trop pour que ce soit pris au sérieux.

PASTICHES ET PARODIES

En 1948, Céline écrivait au sujet du *Portrait d'un antisémite*, publié par Sartre : « Je parcours ce long devoir, jette un œil, ce n'est ni bon ni mauvais, ce n'est rien du tout, un pastiche... une façon de "La manière deux..." Ce petit J.-B. *(sic)* S. a lu *l'Étourdi*, *l'Amateur de Tulipes*, etc... Il s'y est pris, évidemment, il n'en sort plus... Toujours au lycée, ce J.-B. S. ! toujours aux pastiches, aux "La manière deux"... La manière de Céline aussi... et puis de bien d'autres... » Sous cette forme polémique et brutale, Céline souligne l'aptitude et le goût de Sartre pour le pastiche. Le discours de *La nausée* renvoie sans cesse à d'autres discours, tout en les refusant. Incapable de se dépouiller d'une culture trop lourde, l'auteur semble ne pouvoir les rejeter qu'en les parodiant.

Le pastiche prend toutes les formes dans *La nausée*. Tantôt, c'est un simple collage : un fragment de texte, vrai ou faux, est inséré dans le cours du récit, et isolé du reste par des guillemets ou des italiques. Tantôt, c'est le discours de Roquentin qui s'infléchit pour prendre un style qui n'est pas le sien, et qui imite les stéréotypes. On peut trouver dans les deux cas des effets parodiques : ils viennent tantôt de contradictions internes au texte imité, que révèlent certains trucages; tantôt d'un contraste avec le contexte, tantôt du scandale que suscite l'irrespect d'un modèle considéré comme sacré.

Trucages du modèle.

Les contradictions internes d'un discours peuvent être révélées par toutes sortes de trucages. Une simple exagération, par exemple : il est dit du grand-père, dont le portrait figure au Musée, qu'il « ne réclamait rien : on n'a plus de désirs à cet âge » (p. 124); mais les cinq restrictions qui suivent et qui occupent une demi-page prouvent au contraire qu'il réclame tous les droits. De même on dit de Pacôme en une phrase courte qu'il a fait « son devoir de fils, d'époux, de père, de chef » (p. 122); mais le paragraphe qui suit énumère en une page tous les droits que ces devoirs lui octroient.

C'est encore une exagération qui, en poursuivant une métaphore usée ou en la prenant à la lettre, en montre le

ridicule. Ainsi, à partir d'une phrase de Rémy Parrottin :
« Les socialistes ? Eh bien, moi, je vais plus loin qu'eux ! »,
Roquentin imagine concrètement la scène : les socialistes,
au loin, agitent leur mouchoir en criant : « Attendez-nous »
(p. 126). Ou bien, pour ridiculiser la notion d'âme, il la représente comme une personne minuscule qui vient regarder
à la fenêtre des yeux et faire des politesses à l'âme d'en face
(p. 151).

Enfin la transcription scrupuleuse du langage oral, en
laissant les scories que le langage écrit élimine d'ordinaire,
permet de souligner les absurdités qui naissent de l'emploi
des formules toutes faites : les « chefs », qui valorisent la
volonté, emploient souvent avec emphase des expressions
comme « sans faiblir », « sans tache ». De tels clichés, si on y
prend garde, peuvent conduire à des truismes : « Pendant
soixante ans, sans défaillance, il avait fait usage du droit
de vivre » (p. 122). Ou bien le sentiment de supériorité des
chefs les conduit à une expression doublement dépourvue
de sens : « Comme il est plus simple et plus difficile de faire
son devoir ! » (p. 123).

De tels effets sont très fréquents dans *La nausée*. En
général, quand un écrivain transporte dans un récit un
fragment de discours, des conversations, des informations
par exemple, il les stylise. De sorte que la présence du matériau brut forme une figure de rhétorique. Ainsi, dans la
conversation à la brasserie Vézelize, toutes les répétitions
« Mais quand, mon coco ? », « Gros malin », toutes les phrases
dépourvues de sens apparent, « Oh ! non, toi tu sais ! », les
interjections sont notées. Le résultat, analogue aux effets
découverts plus tard par Ionesco, fait éclater la vulgarité
et la sottise du dialogue, tout en soulignant que le message
le plus important passe par les mimiques et non par le texte.
La copie du journal de Bouville produit le même effet : elle
attire l'attention sur les faiblesses d'un texte qu'on ne remarque guère dans la vie ordinaire, parce qu'on les lit du bout
de l'attention. Mais leur simple transcription dans un texte
littéraire, comme l'aurait fait le sottisier de *Bouvard et
Pécuchet*, est le meilleur moyen d'en montrer la bêtise.

Les ruptures de ton.

Plus généralement, n'importe quel fragment de texte peut paraître parodique s'il s'oppose au contexte. Beaucoup d'expressions, dans *La nausée*, ne comportent aucun trucage. Isolées de l'ensemble, elles pourraient être prises au sérieux ; seule une contradiction avec le vocabulaire du contexte leur donne un sens parodique. Ainsi la description du polytechnicien mort n'étonnerait pas dans la bouche d'un prédicateur (p. 134). Mais Roquentin a pris soin de qualifier sa moustache de « bien pensante ». Le terme appartient au vocabulaire des anticléricaux ; de plus, appliqué à une moustache, il ne peut être qu'ironique, et on ne peut plus prendre au sérieux le reste de la description. De même, on pourrait admettre, dans un poème lyrique et un peu emphatique, l'expression : « Adieu, beaux lis, notre orgueil et notre raison d'être », si l'invocation ne se terminait pas sur une injure : « adieu, Salauds » (p. 135).

Un tel procédé renforce encore l'allure parodique du dialogue des commerçants cité plus haut : deux lignes plus haut, une page entière d'*Eugénie Grandet* a été recopiée. Par contraste, la pureté de l'un et la vulgarité de l'autre se renforcent ; mais, chose étrange, le texte de Balzac lui-même en paraît parodique : en présence de l'autre, ce texte d'un écrivain dit « réaliste » paraît fade jusqu'à la mièvrerie. Les deux textes tirent leur sens de leur juxtaposition. De cette manière, tout collage, tout matériau de réemploi peut devenir parodique.

A la manière de.

Sartre utilise aussi la parodie au sens le plus habituel du terme : il pastiche des écrivains célèbres en ridiculisant ses modèles. Le meilleur exemple en est la description d'un tableau : « La Mort du Célibataire » (pp. 119-120), qui fait penser à un tableau de Greuze, *Le mauvais fils puni*, commenté par Diderot dans *Les salons*, où l'on voit le mauvais fils rentrer à la maison le jour de la mort de son père. La structure des deux textes est la même : on décrit le mort sur son lit d'agonie ; puis les personnages qui l'entourent ; puis le décor : un meuble, une porte ouverte ; et enfin les accessoires : un animal qui participe à la scène. La deuxième partie dégage la morale de l'histoire. Chose étonnante, le texte de Diderot paraît plus emphatique que celui de Sartre. C'est que tout l'effet parodique vient d'un renversement des rôles : dans *La nausée*, c'est le méchant qui a pris la place de l'homme de bien sur le lit d'agonie ; les profiteurs ont remplacé autour de lui la famille éplorée, et même le chat est indifférent : c'est exactement le négatif des tableaux de Greuze. A cela s'ajoute que la punition du Célibataire semble bien abstraite, car peu lui importe, sans doute, d'être détroussé après sa mort. C'est, en quelque sorte, excommunier un athée. Le texte raille donc à la fois un style pictural, une méthode de critique d'art, et surtout l'idéologie qu'elle soutient, avec ce qu'elle comporte d'étroitesse et d'aveuglement. D'autres exemples, moins développés, montreraient que le texte parodie les auteurs consacrés, Racine, Baudelaire, et cherche ainsi à tourner en dérision les lecteurs cultivés, seul public réel de *La nausée* à l'époque de sa parution.

La méditation de Roquentin sur sa propre existence semble cumuler tous les procédés parodiques. Elle repose sur la fusion de deux formules philosophiques célèbres : celle de Descartes : « Je pense, donc je suis », et celle de Condillac : « Je suis odeur de rose. » La deuxième formule est modifiée par le contexte dans le sens burlesque : un Monsieur à moustache vient à passer, et « moustache » remplace « odeur de rose ». La première partie du texte présente une variation sur la pensée de Descartes : « Je pense, donc je suis » ; « je suis parce que je pense, pourquoi est-ce que je pense ? je ne veux plus penser, je suis parce que je pense que je ne veux pas être » (p. 144). L'extension est fort logique, mais aboutit à un délire verbal, à la manière des trucages. La deuxième partie associe les deux modèles également truqués : « Je ne pense pas donc je suis une moustache. » Là aussi, le résultat est logique et vrai, car sans la conscience réflexive, le moi se réduit à des sensations. Mais il est si paradoxal et si grotesque dans sa formulation qu'il jette le ridicule sur les modèles utilisés. Saturé de culture philosophique, il semble que Sartre n'ait pas pu innover sans ridiculiser auparavant les textes sur lesquels repose toute sa culture.

Pour étudier « La nausée »

I. Étude descriptive du texte.

1. Isoler les unités élémentaires du texte (journées ou groupes de journées). Dégager la structure de chacune d'elles comme s'il s'agissait de courtes nouvelles. Montrer comment elles s'enchaînent : absence de lien apparent, place dans l'organisation de l'ensemble. Reconstituer l'évolution de chaque « thème » (l'aventure, la Nausée...).

2. Reconstituer la chronologie des faits. Montrer les lacunes du récit, l'irrégularité de son rythme (en comparant la durée du temps fictif et le nombre de pages qui lui sont consacrées). Relever les effets utilisés pour donner l'impression de durée.

3. Relever les personnages et les classer selon le point de vue utilisé pour les présenter (de l'intérieur, de l'extérieur, avec ou sans commentaire du narrateur), selon la signification qu'en donne le narrateur (« salauds » ou hommes de bonne volonté, « chefs » ou « soldats », solitaires ou traîtres), selon le rôle qu'ils jouent dans le récit (figurants, symboles...).

4. Chercher les constantes psychologiques de chaque groupe de personnages (ex. : pour l'Autodidacte : esprit de sérieux, respect de l'écrit... Pour Roquentin et Anny : goût du paradoxe, refus du collectif, des émotions admises...).

5. Relever et étudier les principaux types de descriptions (tableaux, impressionnistes notant les particularités du lieu et de l'heure, modifications de la perception, visions fantastiques). Relever les procédés utilisés pour donner l'illusion du réel (petits faits « vrais », précisions inutiles, détails sordides...).

6. Relever et classer toute insertion d'un texte dans le texte : citations, allusions, pastiches, parodies. Montrer les effets de contraste avec le contexte, les procédés de la parodie (exagérations, ruptures de ton...).

7. Relever les effets de distanciation : Roquentin spectateur, ironie, humour à l'égard des autres, à l'égard de lui-même.

8. L'idéologie sartrienne dans *La nausée* : une image de la société : « salauds », familles et intellectuels. Une philosophie de l'existence : la conscience impersonnelle, le présent, la contingence. Des théories littéraires : réel et récit. Des fantasmes personnels : obsession du mou, du bourgeonnant, du mouillé.

II. « La nausée » dans l'œuvre de Sartre.

1. *La nausée* et *L'enfance d'un chef* : Relever les analogies dans l'idéologie exprimée (refus de la société, de la famille; importance du langage), dans les procédés utilisés (humour, ironie, parodie, satire). Montrer les différences : enracinement historique, présupposés métaphysiques, utilisation de la psychanalyse, thèses psychologiques (« moi » construit par autrui), cohérence du point de vue (détachement progressif à l'égard du héros).

2. *La nausée* et *L'être et le néant* : Thèmes de réflexion : le passé (pp. 153-155), la souffrance (pp. 134-135), le regard (pp. 320-326), le corps (pp. 366-368), la douleur physique (pp. 397-398), l'amour (pp. 442-445), l'obscène (pp. 470-472), le visqueux (pp. 695-706).

3. Prendre Sartre au mot quand il écrit : « Nous avons connu le goût amer et décevant de l'impossible (...) Nous avons cru qu'on pouvait sauver sa vie par l'art et puis, au trimestre suivant, qu'on ne sauvait jamais rien (...) Nous avons balancé entre la terreur et la rhétorique, entre la littérature-martyre et la littérature-métier : si quelqu'un s'amusait à lire avec soin nos écrits, il y retrouverait, sans aucun doute, comme des cicatrices, les traces de ces diverses tentations. Mais il faudrait qu'il ait du temps à perdre. » (*Qu'est-ce que la littérature?*, p. 254).

4. Sartre et le surréalisme d'après *Qu'est-ce que la littérature?*, *La nausée*, *Le mur* et autres nouvelles.

5. Application, dans *La nausée*, de théories littéraires exposées dans *Situations I*.

6. Histoire de *La nausée* d'après *La force de l'âge* de S. de Beauvoir.

III. « La nausée » et le roman.

1. *La nausée* et *Voyage au bout de la nuit*, de Céline : individu et société, les délires, le scandale par le langage, la parodie, fantasmes et répulsion.

2. *La nausée* et le projet de Ponge, d'après *Situations I* : « L'homme et les choses ».

3. *La nausée* et la technique d'Hemingway, d'après *50 000 dollars*, *Le soleil se lève aussi*, et le commentaire de S. de Beauvoir (*La force des choses*, p. 145) : « Chez Hemingway, le monde existait dans son opaque extériorité, mais toujours à travers la perspective d'un sujet singulier, l'auteur ne nous en livrait que ce qu'en pouvait saisir la conscience avec laquelle il coïncidait; il réussissait à donner aux objets une énorme présence, précisément parce qu'il ne les séparait pas de l'action où ses héros étaient engagés; en particulier, c'est en utilisant les résistances des choses qu'il parvenait à faire sentir l'écoulement du temps. »

4. Justifier l'affirmation de Paulhan : « Malgré les différences, je ne vois que Kafka à qui je puisse comparer cela dans la littérature moderne » (*La force des choses*, p. 305).

5. *La nausée* et *Cosmos*, de Gombrowicz (trad. française : Denoël, 1966) : le fantastique, le burlesque, l'humour noir. (Lire, dans *Opérette*, du même Gombrowicz, le portrait satirique de Sartre).

▶ Bibliographie

I. Textes de Sartre à rapprocher de « La nausée » :

Textes narratifs :
- *Le mur* et autres nouvelles, Gallimard, 1939, paru en Livre de poche.
- *Les mots*, Gallimard, 1964.

Textes critiques :
- *Situations I*, Gallimard, 1947.
- *Situations II*, Gallimard, 1948, paru en « Idées » sous le titre : *Qu'est-ce que la littérature ?*

Textes philosophiques :
- *La transcendance de l'ego*, Vrin, 1966.
- *L'imagination*, P.U.F., 1936.
- *L'imaginaire*, Gallimard, 1940.
- *L'être et le néant*, Gallimard, 1943.

II. Textes des amis de Sartre permettant de comprendre les préoccupations de l'auteur :

SIMONE DE BEAUVOIR : *Mémoires d'une jeune fille rangée*, Gallimard, 1958; *La force de l'âge*, Gallimard, 1960.

PAUL NIZAN : *Antoine Bloyé*, Grasset, 1933; *Le cheval de Troie*, Gallimard, 1935; *La conspiration*, Gallimard, 1938.

III. Textes critiques sur « La nausée » :

MICHEL CONTAT et MICHEL RYBALKA : *Les écrits de Sartre*, Gallimard, 1970 : ouvrage indispensable pour l'histoire du texte et la biographie intellectuelle de l'auteur.

GERALD JOSEPH PRINCE : *Métaphysique et technique dans l'œuvre romanesque de Sartre*, Droz, 1968 : longue analyse méthodique et approfondie des relations entre les formes narratives et l'idéologie de Sartre : la narration, la structure, le temps, les personnages.

- *Articles sur la philosophie de Sartre dans* La nausée :

GEORGES POULET : « *La nausée* de Sartre », dans *Le point de départ*, Plon, 1964 : montre l'utilisation parodique que fait Sartre du Cogito cartésien.

JEAN WAHL : « L'échec d'une expérience », dans *Poésie, pensée, perception*, Calmann-Lévy, 1948 : montre ce que *La nausée* doit à Heidegger.

- *Articles sur les formes romanesques dans* La nausée :

MAURICE BLANCHOT : « Les romans de Sartre », dans *La part du feu*, Gallimard, 1949 : montre comment la fiction devient une expérience métaphysique.

JEAN-JOSÉ MARCHAND : « Le temps et la technique romanesque selon J.-P. Sartre », dans *Problèmes du roman*, Bruxelles, Le carrefour, 1945.

JEAN PELLEGRIN : « L'objet à deux faces », dans *La revue des sciences humaines*, janvier-mars 1964.

- *Articles sur la place de* La nausée *dans la littérature:*

VICTOR BROMBERT : *The intellectual hero*, The University of Chicago Press, 1960 : place Roquentin parmi les personnages intellectuels, de Vallès au Nouveau Roman.

MICHEL BEAUJOUR : « Sartre and surrealism », *Yale French Studies*, n° 30, Winter, 1962-1963.

GEORGES RAILLARD : « Actualité de *La nausée* », *Le francais dans le monde*, n° 39, mars 1966.

Imprimé en France par FIRMIN-DIDOT S.A.
Dépôt légal : Ier trimestre 1973
N^o d'édition : 2448 — N^o d'impression : 1969